IMITACIÓN DE CRISTO

Tomás de Kempis

Contenido

LIBRO PRIMERO

Contiene avisos provechosos para la vida espiritual

CAPÍTULO I

De la imitación de Cristo y desprecio de todas las vanidades del mundo

Quien me sigue no anda en tinieblas, dice el Señor. Estas palabras son de Cristo, con las cuales nos exhorta a que imitemos su vida y costumbres, si queremos ser verdaderamente iluminados y libres de toda ceguedad del corazón. Sea, pues, todo nuestro estudio pensar en la vida de Jesús.

La doctrina de Cristo excede a la de todos los Santos; y el que tuviese su espíritu, hallará en ella maná escondido. Más acaece que muchos, aunque a menudo oigan el Evangelio, gustan poco de él, porque no tienen el espíritu de Cristo. El que quisiere, pues, entender con placer y perfección las palabras de Cristo, procure conformar con él toda su vida.

¿Qué te aprovecha disputar altas cosas de la Trinidad, si no eres humilde, y con esto desagradas a la Trinidad? Por cierto las palabras sublimes, no hacen al hombre santo ni justo; más la virtuosa vida le hace amable a Dios. Más deseo sentir la contrición, que saber definirla. Si supieses toda la Biblia a la letra, y las sentencias de todos los filósofos, ¿qué te aprovecharía todo, sin caridad y gracia de Dios? Vanidad de vanidades, y todo es vanidad, sino amar y servir solamente a Dios. La suprema sabiduría consiste en aspirar a ir a los reinos celestiales por el desprecio del mundo.

Luego, vanidad es buscar riquezas perecederas y esperar en ellas; también es vanidad desear honras y ensalzarse vanamente. Vanidad es seguir el apetito de la carne y desear aquello por donde después te sea necesario ser castigado gravemente. Vanidad es desear larga vida y no cuidar que sea buena. Vanidad es mirar solamente a esta presente vida y no prever lo venidero. Vanidad es amar lo que tan rápido se pasa y no buscar con solicitud el gozo perdurable.

Acuérdate frecuentemente de aquel dicho de la Escritura: *Porque no se haría la vista de ver, ni el oído de oír*. Procura, pues, desviar tu corazón de lo visible y traspasarlo a lo invisible; porque los que siguen su sensualidad, manchan su conciencia y pierden la gracia de Dios.

CAPÍTULO II

Cómo ha de sentir cada uno humildemente de sí mismo

Todos los hombres naturalmente desean saber, ¿mas que aprovecha la ciencia sin el temor de Dios? Por cierto, mejor es el rústico humilde que le sirve, que el soberbio filósofo, que dejando de conocerse, considera el curso de los astros. El que bien se conoce, tiénese por vil y no se deleita en loores humanos. Si yo supiera cuanto hay que saber en el mundo, y no tuviese caridad, ¿qué me aprovecharía delante de Dios, que me juzgará según mis obras?

No tengas deseo demasiado de saber, porque en ello se halla gran estorbo y engaño. Los letrados gustan de ser vistos y tenidos por tales. Muchas cosas hay, que saberlas, poco o nada aprovecha al alma; y muy loco es el que en otras cosas entiende, sino en las que tocan a la salvación. Las muchas palabras no hartan el ánima; mas la buena vida le da refrigerio y la pura conciencia causa gran confianza en Dios.

Cuanto más y mejor entiendas, tanto más gravemente serás juzgado si no vivieres santamente. Por esto no te envanezcas si posees alguna de las artes o ciencias; sino que debes temer del conocimiento que de ella se te ha dado. Si te parece que sabes mucho y bien, ten por cierto que es mucho más lo que ignoras. No quieras con presunción saber cosas altas; sino confiesa tu ignorancia. ¿Por qué te quieres tener en más que otro, hallándose muchos más doctos y sabios que tú en la ley? Si quieres saber y aprender algo provechosamente, desea que no te conozcan ni te estimen.

El verdadero conocimiento y desprecio de sí mismo, es altísima y doctísima lección. Gran sabiduría y perfección es sentir siempre bien y grandes cosas de otros, y tenerse y reputarse en nada. Si vieres a alguno pecar públicamente, o comentar culpas graves, no te debes juzgar por mejor que él, porque no sabes hasta cuándo podrás perseverar en el bien. Todos somos frágiles, mas a nadie tengas por más frágil que tú.

CAPÍTULO III

De la doctrina de la verdad

Bienaventurado aquél a quien la verdad por sí misma enseña, no por figuras y voces pasajeras, sino así como ella es. Nuestra estimación y nuestro sentimiento, a menudo nos engañan, y conocen poco. ¿Qué aprovecha la curiosidad de saber cosas obscuras y ocultas, que de no saberlas no seremos en el día del juicio reprendidos? Gran locura es, que dejadas las cosas útiles y necesarias, entendamos con gusto en las curiosas y dañosas. Verdaderamente teniendo ojos no vemos.

¿Qué se nos da de los géneros y especies de los lógicos? Aquél a quien habla el Verbo Eterno se desembaraza de muchas opiniones. De este Verbo salen todas las cosas, y todas predican su unidad, y él es el principio y el que nos habla. Ninguno entiende o juzga sin él rectamente. Aquel a quien todas las cosas le fueren uno, y trajeren a uno, y las viere en uno, podrá ser estable y firme de corazón, y permanecer pacífico en Dios. ¡Oh verdadero Dios! Hazme permanecer unido contigo en caridad perpetua. Enójame muchas veces leer y oír muchas cosas; en ti está todo lo que quiero y deseo; callen los doctores; no me hablen las criaturas en tu presencia; háblame tú solo.

Cuanto más entrare el hombre dentro de sí mismo, y más sencillo fuere su corazón, tanto más y mejores cosas entenderá sin trabajo; porque recibe de arriba la luz de la inteligencia. El espíritu puro, sencillo y constante, no se distrae aunque entienda en muchas cosas; porque todo lo hace a honra de Dios y esfuérzase a estar desocupado en sí de toda sensualidad. ¿Quién más te impide y molesta, que la afición de tu corazón no mortificada? El hombre bueno y devoto, primero ordena dentro de sí las obras que debe hacer exteriormente, y ellas no le inducen deseos de inclinación viciosa; mas él las sujeta al arbitrio de la recta razón. ¿Quién tiene mayor combate que el que se esfuerza a vencerse a sí mismo? Esto debía ser todo nuestro empeño, para hacernos cada día más fuertes y aprovechar en mejorarnos.

Toda perfección en esta vida tiene consigo cierta imperfección; y toda nuestra especulación no carece de alguna obscuridad. El humilde conocimiento de ti mismo es camino más cierto para Dios que escudriñar la profundidad de las ciencias. No es de culpar la ciencia, ni cualquier otro conocimiento de lo que, en sí considerado, es bueno y ordenado por Dios; mas siempre se ha de anteponer la buena conciencia y la vida virtuosa. Porque muchos estudian más para saber que para bien vivir, y yerran muchas veces y poco o ningún fruto sacan.

Si tanta diligencia pusiesen en desarraigar los vicios y sembrar las virtudes como en mover cuestiones, no se verían tantos males y escándalos en el pueblo, ni habría tanta disolución en los monasterios. Ciertamente, en el día del juicio no nos preguntarán qué leímos, sino qué hicimos; ni cuán bien hablamos, sino cuán santamente hubiéramos vivido. Dime, ¿dónde están ahora todos aquellos señores y maestros, que tú conociste cuando vivían y florecían en los estudios? Ya ocupan otros sus puestos, y por ventura no hay quien de ellos se acuerde. En su viviente parecían algo; ya no hay quien hable de ellos.

¡Oh, cuán presto pasa la gloria del mundo! Pluguiera a Dios que su vida concordara con su ciencia, y entonces hubieran estudiado y leído con fruto. ¡Cuántos perecen en el mundo por su vana ciencia, que cuidaron poco del servicio de Dios! Y porque eligen ser más grandes que humildes, se desvanecen en sus pensamientos. Verdaderamente es grande el que tiene gran caridad. Verdaderamente es grande el que se tiene por pequeño y tiene en nada la cumbre de la honra. Verdaderamente es prudente el que todo lo terreno tiene por basura para ganar a Cristo. Y verdaderamente s sabio aquél que hace la voluntad de Dios y renuncia la suya propia.

3

CAPÍTULO IV

De la prudencia en lo que se ha de obrar

No se debe dar crédito a cualquier palabra ni movimiento interior, mas con prudencia y espacio se deben examinar las cosas según Dios. Mucho es de doler que las más veces se cree y se dice el mal del prójimo, más fácilmente que el bien. ¡Tan débiles somos! Mas los varones perfectos no creen de ligero cualquier cosa que les cuentan, porque saben ser la flaqueza humana presta al mal, y muy deleznable en las palabras.

Gran sabiduría es no ser el hombre inconsiderado en lo que ha de obrar, ni tampoco porfiado en su propio sentir. A esta sabiduría también pertenece no dar crédito a cualesquiera palabras de hombres, ni comunicar luego a los otros lo que se oye o cree. Toma consejo con hombre sabio y de buena conciencia, y apetece más ser enseñado por otro mejor que tú, que seguir tu parecer. La buena vida hace al hombre sabio según Dios, y experimentado en muchas cosas. Cuanto alguno fuese más humilde y más sumiso a Dios, tanto será en todo más sabio y morigerado.

CAPÍTULO V

De la lección de las santas Escrituras

En las santas Escrituras se debe buscar la verdad y no la elocuencia. Toda la Escritura se debe leer con el mismo espíritu que se hizo. Más debemos buscar el provecho en la Escritura que la sutileza de las palabras. De tan buena gana debemos leer los libros sencillos y devotos, como los sublimes y profundos. No te mueva la reputación del que escribe, ni si es de pequeña o gran ciencia; mas convídate a leer el amor de la pura verdad. No mires quien lo ha dicho; mas atiende qué tal es lo que se dijo.

Los hombres pasan, la verdad del Señor permanece para siempre. De diversas maneras nos habla Dios, sin acepción de personas. Nuestra curiosidad nos impide muchas veces el provecho que se saca en leer las Escrituras, por cuanto queremos entender lo que deberíamos pasar sencillamente. Si quieres aprovechar, lee con humildad, fidelidad y sencillez, y nunca desees renombre de sabio. Pregunta de buena voluntad, y oye callando las palabras de los santos, y no te desagraden las sentencias de los ancianos, porque nunca las dicen sin motivo.

CAPÍTULO VI

De los deseos desordenados

Cuantas veces desea el hombre desordenadamente alguna cosa, tantas pierde la tranquilidad. El soberbio y el avariento jamás sosiegan; el pobre y humilde de espíritu viven en mucha paz. El hombre que no es perfectamente mortificado en sí mismo, con facilidad es tentado y vencido, aun en cosas pequeñas y viles. El que es flaco de espíritu, y está inclinado a lo carnal y sensible, con dificultad se abstiene totalmente de los deseos terrenos, y cuando lo hace padece muchas veces tristeza, y se enoja presto si alguno lo contradice.

Pero si alcanza lo que deseaba siente luego pesadumbre, porque le remuerde la conciencia el haber seguido su apetito, el cual nada aprovecha para alcanzar la paz que buscaba. En resistir, pues, a las pasiones, se halla la verdadera paz del corazón, y no en seguirlas. Pues no hay paz en el corazón del hombre que se ocupa en las cosas exteriores, sino en el que es fervoroso y espiritual.

CAPÍTULO VII

Cómo se ha de huir la vana esperanza y la soberbia

Vano es el que pone su esperanza en los hombres o en las criaturas. No te avergüences de servir a otros por amor de Jesucristo y parecer pobre en este mundo. No confíes de ti mismo, mas pon tu parte y Dios favorecerá tu buena voluntad. No confíes en tu ciencia, ni en la astucia de ningún viviente, sino en la gracia de Dios, que ayuda a los humildes y abate a los presuntuosos.

Si tienes riquezas no te glories de ellas, ni en los amigos, aunque sean poderosos; sino en Dios que todo lo da, y sobre todo desea darse a sí mismo. No te alucines por la lozanía y hermosa disposición de tu cuerpo, que con una pequeña enfermedad se destruye y afea. No tomes contentamiento de tu habilidad o ingenio, porque no desagrades a Dios, de quien proviene todo bien natural que poseyeres.

No te estimes por mejor que los demás, porque no seas quizá tenido por peor delante de Dios, que sabe lo que hay en el hombre. No te ensoberbezcas de tus obras buenas, porque son muy distintos de los juicios de Dios los de los hombres, al cual muchas veces desagrada lo que a ellos contenta. Si algo bueno hay en ti piensa que son mejores los otros, pues así conservarás la humildad. No te daña si te pospones a los demás, pero es muy dañoso si te antepones a solo uno. Continua paz tiene el humilde; mas en el corazón del soberbio hay emulación y saña muchas veces.

CAPÍTULO VIII

Cómo se ha de evitar la mucha familiaridad

No manifiestes tu corazón a cualquiera, mas comunica tus cosas con el sabio y temeroso de Dios. Con los mancebos y extraños conversa poco. Con los ricos no seas lisonjero, ni desees parecer delante de los grandes. Acompáñate con los humildes y sencillos, y con los devotos y bien acostumbrados, y trata con ellos materias edificantes. No tengas familiaridad con ninguna mujer, mas en general encomienda a Dios y a sus ángeles, y huye de ser conocido de los hombres.

Justo es tener caridad con todos; mas no conviene la familiaridad. Algunas veces acaece, que la persona no conocida resplandece por su buena fama, mas a su presencia nos suele parecer mucho menos. Pensamos algunas veces agradar a los otros con nuestro trato, y al contrario los ofendemos, porque ven en nosotros costumbres poco arregladas.

CAPÍTULO IX

De la obediencia y sujeción

Gran cosa es estar en obediencia, vivir bajo Prelado, y no tener voluntad propia. Mucho más seguro es estar en sujeción que en mando. Muchos están en obediencia más por necesidad que por amor; éstos tienen trabajo, fácilmente murmuran, y nunca tendrán libertad de ánimo, si no se sujetan por Dios de todo corazón. Anda de una parte a otra, no hallarás descanso sino en la humilde sujeción al Prelado. La idea de mudar de lugar ha engañado a muchos.

Verdad es que cada uno se rige de buena gana por su propio parecer, y se inclina más a los que siguen su sentir. Mas si Dios está entre nosotros, necesario es que renunciemos algunas veces a nuestro parecer por el bien de la paz. ¿Quién es tan sabio que lo sepa todo enteramente? Pues no quieras confiar demasiado en tu opinión, mas gusta también de oír de buena gana el parecer ajeno. Si tu parecer es bueno y lo dejas por agradar a Dios y sigues el ajeno, más aprovecharás de esta manera.

Muchas veces he oído decir que es más seguro oír y tomar consejo que darlo. Bien puede también acaecer que sea bueno el parecer de uno; mas no querer sentir con los otros, cuando la razón o las circunstancias lo piden, es señal de soberbia y pertinacia.

CAPÍTULO X

Cómo se ha de cercenar la demasía de las palabras

Excusa cuanto pudieres el bullicio de los hombres, pues mucho estorba el tratar de las cosas del siglo, aunque se haga con buena intención, porque presto somos amancillados y cautivos de la vanidad. Muchas veces quisiera haber callado, y no haber estado entre los hombres. Pero ¿cuál es la causa por qué tan de grado hablamos, y platicamos unos con otros, viendo cuán pocas veces volvemos al silencio sin daño de la conciencia? La razón es, que por el hablar procuramos consolarnos unos con otros, y deseamos aliviar el corazón fatigado de pensamientos diversos; y de muy buena gana nos detenemos en hablar o pensar de las cosas que amamos, y aún de las que tenemos por adversas.

Mas, ¡oh dolor!, que esto se hace muchas veces vanamente y sin fruto; porque esta consolación exterior es de gran detrimento a la interior y divina. Por eso, velemos y oremos, no se nos pase el tiempo en balde. Si se puede y conviene hablar, sea de cosas edificantes. La mala costumbre, y la negligencia en aprovechar, ayuda mucho a la poca guarda de nuestra lengua; pero no poco servirá para nuestro espiritual aprovechamiento la devota plática de cosas espirituales, especialmente cuando muchos de un mismo espíritu y corazón se juntan en Dios.

CAPÍTULO XI

Cómo se debe adquirir la paz, y del celo de aprovechar

Mucha paz tendríamos, si no quisiésemos mezclarnos en los dichos y hechos ajenos que no nos pertenecen. ¿Cómo quiere estar en paz mucho tiempo el que se mezcla en cuidados ajenos, y se ocupa de cosas exteriores, y dentro de sí poco o tarde se recoge? Bienaventurados los sencillos, porque tendrán mucha paz.

¿Cuál fue la causa porque muchos Santos fueron tan perfectos y contemplativos? Porque procuraron mortificarse totalmente en todos sus deseos terrenos; y por eso pudieron con lo íntimo del corazón allegarse a Dios y ocuparse libremente de sí mismos. Nosotros nos ocupamos mucho de nuestras pasiones y tenemos demasiado cuidado de las cosas transitorias. Y como pocas veces vencemos un vicio perfectamente, no nos alentamos para aprovechar cada día en la virtud; por esto permanecemos tibios y aun fríos.

Si estuviésemos perfectamente muertos a nosotros mismos, y libres en lo interior, entonces podríamos gustar las cosas divinas y experimentar algo de la contemplación celestial. El total, y el mayor impedimento es, que no estando libres de nuestras inclinaciones y deseos, no trabajamos por entrar en el camino de los Santos. Y cuando alguna adversidad se nos ofrece, muy prestos nos desalentamos y nos volvemos a las consolaciones humanas.

Si nos esforzásemos más en la batalla peleando como fuertes varones, veríamos sin duda la ayuda del Señor que viene desde el cielo sobre nosotros; porque siempre está dispuesto a socorrer a los que pelean y esperan en su gracia, y nos procura ocasiones de pelear para que alcancemos la victoria. Si solamente en las observancias exteriores ciframos el aprovechamiento de la vida religiosa, presto se nos acabará nuestra devoción. Pongamos la segur a la raíz, para que libres de las pasiones, poseamos pacíficas nuestras almas.

Si cada año desarraigásemos un vicio, presto seríamos perfectos; mas al contrario experimentamos muchas veces, que fuimos mejores y más puros en el principio de nuestra conversión que después de muchos años de profesos. Nuestro fervor y aprovechamiento cada día debe crecer; mas ahora se estima por mucho perseverar en alguna parte del fervor primitivo. Si al principio hiciésemos algún esfuerzo, podríamos después hacerlo todo con ligereza y gozo. Duro es renunciar a la costumbre; pero más duro es ir contra la propia voluntad; mas si no vences las cosas pequeñas y ligeras, ¿cómo vencerás las dificultosas? Resiste en los principios a tu inclinación, y deja la mala costumbre, para que no te lleve poco a poco a mayores dificultades. ¡Oh si supieses cuánta paz gozarías en ti mismo, y cuánta alegría darías a los demás obrando el bien!; yo creo que serías más solícito en el aprovechamiento espiritual.

CAPÍTULO XII

De la utilidad de las adversidades

Bueno es que algunas veces nos sucedan cosas adversas y contratiempos, porque suelen atraer al hombre a su interior para que conociéndose desterrado, no ponga su esperanza en cosa alguna del mundo. Bueno es que padezcamos a veces contradicciones, y que sientan de nosotros mal e imperfectamente, aunque hagamos bien y tengamos buena intención. Estas cosas de ordinario ayudan a la humildad, y nos defienden de la vanagloria; porque entonces mejor buscamos a Dios por testigo interior, cuando por defuera somos despreciados de los hombres y no nos dan crédito.

Por eso debía uno afirmarse de tal manera en Dios, que no le fuese necesario buscar muchas consolaciones humanas. Cuando el hombre de buena voluntad es atribulado, o tentado, o afligido con malos pensamientos, entonces conoce tener de Dios mayor necesidad, experimentando que sin él no puede nada bueno. Entonces también se entristece, gime y ruega por las miserias que padece. Entonces le es molesta la vida larga, y desea llegue la muerte para ser desatado de este cuerpo y unirse con Cristo. Entonces también conoce que no puede haber en el mundo seguridad perfecta, ni paz cumplida.

CAPÍTULO XIII

Cómo se ha de resistir a las tentaciones

Mientras en el mundo vivimos no podemos estar sin tribulaciones y tentaciones; por eso está escrito en Job: *Tentación es la vida del hombre sobre la tierra*. Por tanto, cada uno debe tener mucho cuidado, velando y orando para que no halle el demonio ocasión de engañarle, que nunca duerme, sino que busca por todos lados nuestra perdición. Ninguno hay tan santo ni tan perfecto, que no tenga algunas veces tentaciones, y no podemos vivir absolutamente libres de ellas.

Mas son las tentaciones muchas veces utilísimas al hombre, aunque sean graves y pesadas; porque en ellas es uno humillado, purificado y enseñado. Todos los Santos pasaron por muchas tribulaciones y tentaciones, y por su medio aprovecharon en la virtud; y los que no las quisieron sufrir y llevar bien, se hicieron réprobos y desfallecieron. No hay religión tan santa, ni lugar tan retirado, donde no haya tentaciones y adversidades.

No hay hombre seguro del todo de tentaciones mientras vive, porque en nosotros mismos está el germen de ellas, pues que nacimos con la inclinación al pecado. Después de pasada una tentación o tribulación, sobreviene otra, y siempre tendremos que sufrir, porque desde el principio se perdió el bien de nuestra felicidad. Muchos quieren huir las tentaciones, y caen en ellas más gravemente. No se puede vencer con solo huir. Con la paciencia y la verdadera humildad nos hacemos más fuertes que todos los enemigos.

El que solamente quita lo que se ve y no arranca la raíz, poco aprovechará, antes tornarán a él más presto y con más violencia las tentaciones. Poco a poco, con paciencia y larga esperanza, mediante el favor divino, vencerás mejor que no con tu propio conato y fatiga. Toma muchas veces consejo en las tentaciones, y no seas desabrido con el que está tentado, antes procura consolarle como tú quisieras te consolaran.

El principio de toda tentación es no ser uno constante y tener poca confianza en Dios; porque así como la nave sin gobernarle la llevan a una y otra parte las ondas, del mismo modo, el hombre descuidado que desiste de su propósito, es tentado de diversas maneras. El fuego prueba al hierro, y la tentación al justo. Muchas veces no sabemos lo que podemos, mas la tentación descubre lo que somos. Debemos pues velar, principalmente al principio de la tentación; porque entonces más fácilmente es vencido el enemigo, cuando no le dejamos pasar de la puerta del alma, y se le resiste al umbral luego que toca, por lo cual dijo uno: *Resiste a los principios; tarde viene el remedio, cuando la llaga es muy vieja*. Porque primeramente se ofrece al alma sólo el pensamiento sencillo, después la importuna imaginación, luego la delectación, el movimiento desordenado y el consentimiento, y así se entra poco a poco el maligno enemigo, y se apodera de todo, por no resistirle al principio. Y cuanto más tiempo fuere uno perezoso en resistir, tanto se hace cada día más débil, y el enemigo, contra él, más fuerte.

Algunos padecen graves tentaciones al principio de su conversión, otros al fin, otros casi toda su vida. Algunos son tentados blandamente, según la sabiduría y juicio de Dios, que mide el estado y los méritos de los hombres, y todo lo tiene ordenado para la salvación de los escogidos.

Por eso no debemos desconfiar cuando somos tentados; antes bien debemos rogar a Dios con mayor fervor, que sea servido de ayudarnos en toda tribulación, pues según el dicho de San Pablo, nos dará tal auxilio junto con la tentación, que la podamos sufrir. Humillemos, pues, nuestras almas bajo la mano de Dios en toda tribulación y tentación, porque él salvará y engrandecerá los humildes de espíritu.

En las tentaciones y adversidades se ve cuánto uno ha aprovechado, porque entonces es mayor el merecimiento y se conoce mejor la virtud. No es mucho ser un hombre devoto y fervoroso cuando se siente pesadumbre; mas si en el tiempo de la adversidad sufre con paciencia, es señal y da esperanza de gran provecho. Algunos hay que no caen en las grandes tentaciones, y son vencidos a menudo en las pequeñas, para que se humillen y no confíen de sí en cosas grandes, viéndose débiles en las pequeñas.

CAPÍTULO XIV

Cómo se deben evitar los juicios temerarios

Pon los ojos en ti mismo y guárdate de juzgar las acciones ajenas. En juzgar a otros se ocupa uno en vano, yerra muchas veces, y peca fácilmente; mas juzgándose y examinándose a sí mismo, se emplea siempre con fruto. Muchas veces sentimos de las cosas según nuestro juicio, y fácilmente perdemos el verdadero juicio de ellas por el amor propio. Si fuese Dios siempre el fin puramente de nuestro deseo, no nos turbaría tan presto la contradicción de la sensualidad.

Muchas veces tenemos algo adentro escondido, o de afuera se ofrece, cuya afición nos lleva tras sí. Muchos buscan secretamente su propia comodidad en las obras que hacen, y no lo entienden. También les parece estar en paz cuando se hacen las cosas a su voluntad y gusto; mas si de otra manera suceden, presto se alteran y entristecen. Por la diversidad de los pareceres muchas veces se levantan discordias entre los amigos y convecinos, entre los religiosos y devotos.

La costumbre antigua con dificultad se quita, y ninguno deja de buena gana su propio parecer. Si en tu razón e industria estribas más que en la virtud de la sujeción de Jesucristo, rara vez y tarde serás iluminado; porque quiere Dios que nos sujetemos a él perfectamente, y que trascendamos toda razón inflamados de su amor.

CAPÍTULO XV

De las obras que proceden de la caridad

No se debe hacer lo que es malo por ninguna cosa del mundo; ni por amor de alguno; mas por el provecho del necesitado, alguna vez se puede diferir la buena obra o trocarla por otra mejor. De esta suerte no se pierde, antes se muda en otra mejor. La obra exterior sin caridad no aprovecha; mas todo cuanto se hace con caridad, por poco que sea, se hace fructuoso, pues más mira Dios al corazón que a la obra misma.

Mucho hace el que mucho ama, y mucho hace el que en todo hace bien, y bien hace el que atiende más al bien común que a su voluntad propia.

Muchas veces parece caridad lo que es amor propio; porque la inclinación de la naturaleza, la propia voluntad, la esperanza de la recompensa, el gusto de la comodidad, pocas veces nos abandonan.

El que tiene verdadera y perfecta caridad, no se busca a sí mismo en cosa alguna; mas sólo desea que sea Dios glorificado en todas las cosas. De nadie tiene envidia, porque ama algún placer particular, ni se quiere gozar en sí; más desea sobre todas las cosas gozar de Dios. A nadie atribuye ningún bien; mas refiérelo todo a Dios, del cual, como de primera fuente, emanan todas las cosas, y en quien finalmente todos los santos descansan con perfecto gozo. ¡Oh quien tuviese una centella de verdadera caridad! Por cierto que sentiría estar todas las cosas mundanas llenas de vanidad.

CAPÍTULO XVI

Cómo se han de sufrir los defectos ajenos

Lo que no puede un hombre enmendar en sí ni en los otros, débelo sufrir con paciencia, hasta que Dios lo ordene de otro modo. Piensa que por ventura te conviene esto mejor para probar tu paciencia, sin la cual no son de mucha estimación nuestros merecimientos. Mas debes rogar a Dios por estos estorbos, porque tenga por bien de socorrerte para que los toleres.

Si alguno, amonestado una vez o dos no se enmendare, no porfíes con él; mas encomiéndalo todo a Dios, para que se haga su voluntad, y él sea honrado en todos sus siervos, que sabe sacar de los males bienes. Estudia y aprende a sufrir con paciencia cualesquier defectos y flaquezas ajenas, pues que tú también tienes mucho en que te sufran los demás. Si no puedes hacerte a ti cual deseas, ¿cómo quieres tener a otro a la medida de tu deseo? De buena gana queremos a los otros perfectos, y no enmendamos los defectos propios.

Queremos que los otros sean castigados con rigor, y nosotros no queremos ser corregidos. Parécenos mal si a los otros se les da larga licencia, y nosotros no queremos que cosa alguna se nos niegue. Queremos que los otros sean oprimidos con estrechos estatutos, y en ninguna manera sufrimos que nos sea prohibida cosa alguna. Así parece claro cuán pocas veces amamos al prójimo como a nosotros mismos. Si todos fuesen perfectos ¿qué tendrías que sufrir por Dios a tus hermanos?

Pero así lo ordenó Dios, para que aprendamos a llevar las cargas ajenas; porque no hay ninguno sin defecto, ninguno sin carga, ninguno es suficiente ni cumplidamente sabio para sí; importa llevarnos, consolarnos y juntamente ayudarnos unos a otros, instruirnos y amonestarnos. Nada descubre mejor la sólida virtud del hombre, que la adversidad; porque las ocasiones no hacen al hombre débil, mas declaran que lo es.

CAPÍTULO XVII

De la vida Monástica

Conviene que aprendas a reprimirte en muchas cosas, si quieres tener paz y concordia con otros. No es poco morar en los Monasterios o Congregaciones, y allí conversar sin quejas, y perseverar fielmente hasta la muerte. Bienaventurado es el que vive allí bien y acaba dichosamente. Si quieres estar bien y aprovechar, mírate como desterrado y peregrino sobre la tierra. Conviene hacerte simple por Jesucristo, si quieres seguir la vida religiosa.

El hábito y la corona poco hacen; la mudanza de las costumbres y la entera mortificación de las pasiones son las que hacen al hombre verdadero religioso. El que busca algo fuera de Dios y de la salvación de su alma, no hallará sino tribulación y dolor. No puede estar mucho tiempo en paz el que no procura ser el menor y el más sujeto a todos.

Viniste a servir y no a mandar; persuádete que fuiste llamado para trabajar y padecer, no para holgar y hablar, pues aquí se prueban los hombres como el oro en el crisol, aquí no puede nadie permanecer si no quiere de todo corazón humillarse por Dios.

CAPÍTULO XVIII

De los ejemplos de los Santos Padres

Considera bien los heroicos ejemplos de los Santos Padres, en los cuales resplandece la verdadera perfección y religión, y verás cuán poco o casi nada es lo que hacemos. ¡Ay! ¿qué es nuestra vida consagrada con la suya? Los Santos y amigos de Cristo sirvieron al Señor en hambre, en sed, en frío, en desnudez, en trabajos, en fatigas, y vigilias y ayunos, en oraciones y santas meditaciones, en persecuciones y en muchos oprobios.

¡Oh, cuántas y cuán graves tribulaciones padecieron los Apóstoles, los Mártires, los Confesores, las Vírgenes, y todos los demás que quisieron seguir las pisadas de Jesucristo, pues en esta vida aborrecieron sus almas, para poseerlas en la eterna! ¡Oh cuán estrecha y austera vida hicieron los Santos Padres en el desierto! ¡Cuán largas y graves tentaciones padecieron! ¡Cuán de ordinario fueron atormentados del enemigo! ¡Cuán continuas y fervorosas oraciones ofrecieron a Dios! ¡Cuán rigurosas abstinencias practicaron! ¡Cuán gran celo y favor tuvieron en su aprovechamiento espiritual! ¡Cuán fuertes combates sostuvieron para vencer los vicios! ¡Cuán pura y recta intención tuvieron para con Dios! De día trabajaban, y las noches ocupaban en larga oración, aunque trabajando no cesaban de orar mentalmente.

Todo el tiempo gastaban obrando el bien; las horas les parecían cortas para dedicarse a Dios, y la gran dulzura que experimentaban en la contemplación les hacía olvidar la necesidad del mantenimiento corporal. Renunciaban a todas las riquezas, honores, dignidades, parientes y amigos, ninguna cosa querían del mundo, apenas tomaban lo necesario para la vida, y repugnaban servir a su cuerpo aun en las cosas necesarias. De modo que eran pobres de lo temporal, pero riquísimos en gracia y virtudes. En lo exterior eran necesitados; pero en lo interior estaban abastecidos de la gracia y recreados con divinas consolaciones.

Extraños eran al mundo, pero muy allegados y familiares amigos de Dios. Teníanse por nada en cuanto a sí mismos, y para con el mundo eran despreciados; mas en los ojos de Dios fueron muy preciosos y amados. Se conservaban en obediencia, caminaban por la senda de la caridad y la paciencia, y por eso cada día crecían en el espíritu, y alcanzaban mucha gracia delante de Dios. Fueron puestos por dechados a todos los religiosos; y más nos deben ellos mover para aprovechar en el bien, que la muchedumbre de los tibios para relajarnos.

¡Oh tibieza y negligencia de nuestro estado, qué tan presto declinamos del primitivo fervor, y nos es molesto el vivir por nuestra laxitud y tibieza! ¡Pluguiese a Dios que no durmiese en ti el deseo de aprovechar en las virtudes, habiendo visto muchas veces los ejemplos de tantos varones piadosos!

CAPÍTULO XIX

De los ejercicios que debe practicar el buen religioso

La vida del buen religioso debe resplandecer en toda suerte de virtudes, siendo tal en lo interior cual parece en lo de afuera. Y con razón debe ser más en lo interior que lo que se mira exteriormente, porque quien nos mira es Dios, a quien debemos suma reverencia donde quiera que estuviéremos, y ante el cual nos hemos de presentar tan puros como los ángeles. Cada día debemos renovar nuestro propósito y excitarnos a mayor fervor, como si fuese el primero de nuestra conversión, y decir: Señor Dios mío, ayúdame en mi buen propósito y en tu santo servicio, y dame gracia para que comience hoy perfectamente, porque es nada cuanto hice hasta aquí.

Según es nuestro propósito, así es nuestro aprovechar, y quien quiere aprovechar bien, ha menester ser muy diligente. Si el que propone firmemente falta muchas veces ¿qué hará el que tarde o nunca propone? Acaece de diversos modos el dejar nuestro propósito, y faltar con facilidad en los ejercicios que se tiene de costumbre pocas veces deja de ser dañoso. El propósito de los justos más pende de la gracia de Dios que del saber propio, y en él confían siempre en cualquier cosa que emprenden; porque el hombre propone, mas Dios dispone, y no está en manos del hombre su camino.

Si se deja alguna vez el ejercicio acostumbrado por piedad o por provecho del prójimo, esta omisión se puede reparar fácilmente, mas si, por fastidio o negligencia, ligeramente se deja, muy culpable es, y resultará en nuestro daño. Esforcémonos cuanto pudiéremos, que aun así caeremos en muchas faltas con facilidad; pero algún fin determinado debemos siempre proponernos, y principalmente se han de remediar las cosas que más estorban nuestro aprovechamiento. Debemos examinar y ordenar todos nuestros actos exteriores e interiores, porque unos y otros convienen para el aprovechamiento espiritual.

Si no puedes continuamente estar recogido, siquiera recógete algunos ratos, por lo menos una vez al día. Por la mañana haz tus propósitos, y a la noche examina tus obras, qué tal ha sido este día tu conducta en obras, palabras y pensamientos, porque puede ser que ofendiste a Dios y al prójimo muchas veces en ello. Ármate como varón contra la malicia del demonio. Refrena la gula y fácilmente refrenarás toda inclinación de la carne. Nunca estés del todo ocioso; lee, escribe, reza o medita, o haz algo de provecho para la comunidad. Pero los ejercicios corporales se deben tomar con discreción, porque no son igualmente para todos.

Los ejercicios particulares no se deben hacer públicamente, porque son más seguros para el secreto. Guárdate, no seas más presto para lo particular que para lo común; pero cumplido bien y fielmente lo que te está encomendado, si tienes lugar, entra dentro de ti como desea tu devoción. No podemos todos ejercitar una misma cosa; unas convienen más a unos, y otras a otros. Según el tiempo nos son más a propósitos diversos ejercicios; unos son para los días de fiesta, otros para los días de trabajo; convienen otros para el tiempo de la tentación, y otros para el de la paz y el sosiego. En unas cosas nos agrada pensar cuando estamos tristes, y en otras cuando estamos alegres en el Señor.

En las fiestas principales debemos renovar nuestros buenos ejercicios, e invocar con mayor fervor la intercesión de los Santos. De fiesta en fiesta debemos proponer algo, como si entonces hubiésemos de salir de este mundo y llegar a la eterna festividad. Por eso debemos prepararnos con cuidado en los tiempos de devoción, conversar más devotamente, y guardar toda observancia con más rigor, como quien ha de recibir en breve de Dios el premio de sus trabajos.

Y si se dilatare, creamos que no estamos bastante preparados, y que aun somos indignos de tanta gloria, como si se declarara a nosotros acabado el tiempo de la vida, y estudiemos en prepararnos mejor para la muerte. *Bienaventurado el siervo*, dice el Evangelista San Lucas, *que cuando viniere el Señor, le hallare velando; en verdad os digo, que le constituirá sobre todos sus bienes.*

CAPÍTULO XX

Del amor a la soledad y silencio

Busca tiempo competente para dedicarte a ti mismo, y piensa a menudo en los beneficios de Dios. Deja las cosas meramente curiosas, y lee aquellas materias que te den más compunción que ocupación. Si te apartares de pláticas superfluas, de estar ocioso y de oír novedades y murmuraciones, hallarás tiempo suficiente y a propósito para darte a la meditación de las cosas divinas. Los mayores Santos evitaban cuanto podían la compañía de los hombres y elegían el servir a Dios en su retiro.

Dijo uno: *Cuantas veces estuve entre los hombres, volví menos hombre*; lo cual experimentamos cada día cuando hablamos mucho. Más fácil cosa es callar siempre, que hablar sin errar; más fácil es ocultarse en su casa, que guardarse del todo fuera de ella. Por esto al que aspira a la vida interior y espiritual le conviene apartarse con Jesucristo de la multitud. Ninguno se crea seguro en público, sino el que se esconde voluntariamente. Ninguno habla con acierto, sino el que calla de buena gana. Ninguno preside dignamente, sino el que se sujeta con gusto. Ninguno manda con razón, sino el que aprendió a obedecer sin replicar.

Nadie se goza seguramente sino quien tiene en sí el testimonio de la buena conciencia, pues la seguridad de los Santos siempre estuvo llena de temor de Dios. Ni por eso fueron menos solícitos y humildes, aunque resplandecían en grandes virtudes y gracias; pero la seguridad de los malos nace de la soberbia y presunción. Nunca te tengas por seguro en esta vida, aunque parezcas buen religioso o devoto ermitaño.

Los muy estimados por buenos, muchas veces cayeron en graves peligros por su mucha confianza; por lo cual es utilísimo a muchos, el que no le falten del todo tentaciones, y que sean muchas veces combatidos, para que no confíen mucho de sí propios, y para que no se ensoberbezca, ni se entreguen demasiadamente a los consuelos exteriores. ¡Oh quien nunca buscase alegría transitoria, ni jamás se ocupase del mundo! ¡Cuán pura conservaría su conciencia! ¡Oh quien, apartando de sí todo vano cuidado, y pensando solamente en las cosas saludables y divinas, pusiese toda su esperanza en Dios! ¡Cuánta paz y sosiego poseería! Ninguno es digno de la consolación celestial, sino el que se ejercitare con diligencia en la santa contrición. Si quieres arrepentirte de corazón, entra en tu retiro y destierra de ti todo bullicio del mundo, según está escrito: *Compungíos en vuestros retiramientos*. En la celda hallarás lo que fuera pierdes muchas veces. El rincón usado se hace dulce, y el poco usado causa enfado. Si al principio de tu conversión le guardares bien, te será, después tu recogimiento, un dulce amigo y tu más agradable consuelo.

En el silencio y sosiego se aprovecha el alma devota y penetra los secretos de las Escrituras. Allí halla arroyos de lágrimas con que purificarse todas las noches, para que sea tanto más familiar a su Hacedor, cuanto más se desviare del tumulto del siglo; pues el que se aparta de amigos y conocidos, estará más cerca de Dios y de sus santos ángeles. Mejor es esconderse y cuidar de sí, que con descuido propio hacer milagros. Muy loable es al hombre religioso salir pocas veces, huir de ser visto y no querer ver a los hombres.

¿Para qué quieres ver lo que no te conviene tener? El mundo pasa, y con él sus deleites. Los deseos sensuales nos llevan a pasatiempos, mas pasada aquella hora, ¿qué nos queda sino pesadumbre de conciencia y disipación del corazón? La salida alegre causa muchas veces triste vuelta, y la alegre tarde hace triste mañana; así todo gozo carnal entra blandamente, mas al cabo muerde y mata. ¡Qué puedes ver en otro lugar que aquí no lo veas! Aquí ves el cielo y la tierra y todos los elementos, y de éstos fueron hechas todas las cosas.

¿Qué puedes ver en ningún lugar que permanezca mucho tiempo debajo del sol? ¿Piensas satisfacer tu apetito? Pues no lo alcanzarás. Si vieses todas las cosas delante de ti, ¿qué sería sino de tu vista vana? Alza tus ojos a Dios en el cielo, y ruega por tus pecados y negligencias. Deja lo vano a los vanos, y tú ten cuidado de lo que manda Dios. Cierra tu puerta sobre ti, y llama a tu amado Jesús; permanece con él en tu celda, porque no hallarás en otro lugar tanta paz. Si no salieras, ni oyeras nuevas, mejor perseverarás en santa paz. Pues te huelgas de oír algunas veces novedades, necesario es que sufras después turbaciones del corazón.

CAPÍTULO XXI

Del remordimiento del corazón

Si quieres aprovechar algo, consérvate en el temor de Dios y no quieras ser muy libre; mas por medio de la disciplina refrena todos tus sentidos, y no te des a vanos contentos. Date a la compunción y te hallarás devoto. La compunción descubre muchos bienes que la relajación suele perder en breve. Maravilla es que el hombre se pueda alegrar perfectamente en esta vida, considerando su destierro, y pensando los peligros de su alma.

Por la liviandad del corazón, y por el descuido de nuestros defectos, no sentimos los males de nuestra alma; mas muchas veces reímos, cuando deberíamos llorar. No hay verdadera libertad, ni buena alegría, sino en el temor de Dios con buena conciencia. Bienaventurado aquel que puede desviarse de todo motivo de distracción y recogerse a lo interior de una santa compunción. Bienaventurado el que renunciare todas las cosas que pueden mancillar o agravar su conciencia. Pelea como varón; una costumbre vence a otra. Si sabes separarte de los hombres, ellos te dejarán hacer tus buenas obras.

No te ocupes en cosas ajenas, ni te entremetas en las cosas de los mayores. Mira primero por ti, y amonéstate a ti mismo más especialmente que a todos cuantos quieres bien.

Si no eres favorecido de los hombres, no te entristezcas. Dete pena el que no tienes tanto cuidado de mirar por ti, como conviene al siervo de Dios y al devoto religioso. Muy útil y seguro es que el hombre no tenga en esta vida muchas consolaciones, mayormente según la carne; mas no sentir o gustar las divinas, culpa es de que no buscamos la contrición y ternura de corazón, ni desechamos del todo las vanas consolaciones de los sentidos.

Conócete por indigno de la divina consolación, y más bien digno de ser atribulado. Cuando el hombre tiene perfecta contrición, luego le es grave y amargo el mundo entero. El virtuoso siempre halla bastante materia para dolerse y llorar; porque ora se mire a sí, ora piense en su prójimo, sabe que ninguno vive aquí abajo sin tribulaciones y cuanto más atentamente se mira, tanto más halla por qué dolerse. Materia de justo dolor y entrañable contrición son nuestros pecados y vicios, en que estamos tan sumergidos, que casi no podemos contemplar lo celestial.

Si continuamente pensases, más en tu muerte que en vivir largo tiempo, no hay duda que te enmendarías con mayor fervor. Si pusieses también delante de tu corazón las penas del infierno o del purgatorio, creo que de muy buena gana sufrirías cualquier trabajo y dolor, y no rehusarías ninguna aspereza, mas como estas cosas no penetran al corazón, y amamos siempre el regalo, nos quedamos fríos y perezosos.

Muchas veces la falta de espíritu hace que se queje con tanta facilidad el cuerpo miserable. Ruega, pues, con humildad al Señor, que te dé espíritu de contrición, y di con el Profeta: *Dame, Señor, a comer del pan de lágrimas, y dame a beber las lágrimas en medida.*

CAPÍTULO XXII

Consideración de la miseria humana

Miserable serás donde quiera que fueres y donde quiera que te volvieres, si no te conviertes a Dios. ¿Por qué te turbas, si no te sucede lo que quieres y deseas? ¿Quién es el que tiene todas las cosas a su voluntad? Por cierto ni yo, ni tú, ni hombre alguno sobre la tierra. No hay hombre en el mundo sin tribulación o angustia, aunque sea Rey o Papa. ¿Pues quién es el que está mejor? Ciertamente el que puede padecer algo por Dios.

Dicen muchos imbéciles y flacos: Mirad cuán buena vida tiene aquel hombre, cuán rico es, cuán poderoso, cuán gran señor; mas tú eleva la consideración a los bienes del cielo, y verás que todas estas cosas temporales nada son, antes muy inestables y molestas, porque nunca las poseemos sin cuidado y temor. No está la felicidad del hombre en tener abundancia en lo temporal, bástale la medianía. Verdadera miseria es vivir sobre la tierra. Cuanto el hombre quisiera ser más espiritual, tanto le será más amarga la vida presente, porque siente mejor y ve más claro los defectos de la corrupción humana. Porque el comer, beber, velar, dormir, descansar, trabajar, y estar sujeto a las necesidades naturales, en verdad es grandísima miseria y pesadumbre al hombre devoto, el cual desea ser desatado de este cuerpo y libre de toda culpa.

Porque el hombre interior está muy gravado, con las necesidades corporales en este mundo, por esto ruega devotamente el Profeta a Dios que le libre de ellas diciendo: *Líbrame, Señor, de mis necesidades.* Mas ¡ay de los que no conocen su miseria! y mucho más ¡ay de los que aman esta vida miserable y corruptible! Porque hay algunos tan apegados a ella, que aunque con mucha dificultad, trabajando o mendigando adquieren lo necesario, si pudiesen vivir aquí siempre, no se cuidarían del reino de Dios.

¡Oh locos y de corazón infiel, que tan profundamente se envuelven en la tierra, que no gustan sino de las cosas carnales! Mas en el fin sentirán gravemente cuán vil y vano era lo que amaron. Los Santos de Dios, y los devotos y amigos de Cristo no tenían cuenta de lo que agradaba a la carne, ni de lo que florecía en esta vida temporal; mas toda su esperanza e intención se dirigía a los bienes eternos. Todo su deseo se elevaba a lo que permanece y que no se ve, porque no fuesen abatidos hacia lo ínfimo con el amor de lo visible. No quieras, hermano, perder la esperanza de aprovechar en las cosas espirituales; aun tienes tiempo y hora para ello.

¿Por qué quieres dilatar tu propósito? Levántate y comienza en este momento y di: Ahora es tiempo de obrar, ahora es tiempo de pelear, ahora es tiempo conveniente para enmendarme. Cuando no estás tranquilo y tienes alguna tribulación, entonces es tiempo de merecer. Conviene que pases por fuego y por agua, antes que llegues al descanso. Si no te haces violento no vencerás el vicio. Mientras estamos en este frágil cuerpo, no podemos estar enteramente sin pecado, ni vivir sin fatiga y dolor. De buena gana descansaríamos de toda miseria; mas como perdimos la inocencia con el pecado, perdimos con ella la verdadera felicidad. Por eso nos importa tener paciencia, y esperar la misericordia de Dios, hasta que se acabe esta malicia que reina ahora, y la vida destruya a la muerte.

¡Oh cuánta es la flaqueza humana, siempre inclinada a los vicios! Hoy confiesas tus pecados, y mañana vuelves a cometerlos. Ahora propones de guardarte, y de aquí una hora obras como si nada hubieras propuesto. Con razón nos podemos humillar, y no sentir de nosotros cosa grande, pues somos tan débiles y tan mudables. Por cierto, presto se puede perder por descuido, lo que dificultosamente y con mucho trabajo se ganó por la gracia.

¿Qué será de nosotros al fin, pues ya tan pronto nos entibiamos? ¡Ay de nosotros si así queremos ir al descanso, como si ya tuviésemos paz y seguridad, cuando aun no se descubre señal de verdadera santidad en nuestra conducta! Bien sería que aun fuésemos instruidos otra vez, como niños, en buenas costumbres, si por ventura hubiese alguna esperanza de enmienda, y de mayor aprovechamiento espiritual.

CAPÍTULO XXIII

Del pensamiento de la muerte

Muy presto te ocupará este negocio, por eso debes mirar cómo vives. Hoy es el hombre, y mañana no parece. En quitándolo de la vista, se borra presto también de la memoria. ¡Oh torpeza y dureza del corazón humano, que solamente piensa en lo presente, sin cuidarse de lo venidero! Así deberías conducirte en toda acción y pensamiento, como si luego hubiese de morir. Si tuviese buena conciencia, no temerías mucho la muerte. Mejor fuera evitar los pecados que huir de la muerte. Si hoy no estás preparado, ¿cómo lo estarás mañana? El día de mañana es incierto, ¿y sabes tú si amanecerás a otro día?

¿Qué aprovecha vivir mucho, cuando tan poco nos enmendamos? La larga vida no siempre corrige, antes muchas veces añade pecados. ¡Ojalá hubiésemos vivido siquiera un día bien en este mundo! Muchos cuentan los años de su conversión; pero muchas veces es poco el fruto de la enmienda. Si es temible el morir, acaso sea más peligroso el vivir mucho. Bienaventurado el que tiene siempre presente la hora de la muerte, y se prepara cada día a morir. Si viste morir a alguno, piensa que por aquel camino has de pasar.

En la mañana piensa que no llegarás a la noche, y cuando llegue ésta no te prometas la mañana. Por eso está siempre dispuesto, y vive de tal manera que nunca te halle la muerte desapercibido. Muchos mueren de repente, porque en la hora que no se piensa vendrá el Hijo del Hombre. Cuando viniere aquella hora postrera, muy de otra suerte comenzarás a sentir de toda tu vida pasada, y te dolerás mucho por haber sido tan negligente y perezoso.

¡Cuán feliz y prudente es el que vive de tal modo, cual desea le halle Dios en la hora de la muerte! Porque el absoluto desprecio del mundo, el ardiente deseo de aprovechar en las virtudes, el amor a la disciplina, el trabajo de la penitencia, la prontitud de la obediencia, el renunciarse a sí mismo, la paciencia en toda adversidad por amor de nuestro Señor Jesucristo, gran confianza le darán de morir felizmente. Mucho bueno podrás obrar cuando estás sano, mas cuando enfermo no sé qué podrás. Pocos se enmiendan con la enfermedad; y los que hacen muchas romerías, pocas veces son santificados.

No confíes en amigo y allegados, ni dilates en asegurar tu salvación para lo porvenir, porque más presto de lo que piensas estarás olvidado de los hombres. Mejor es ahora con tiempo prevenir algunas buenas obras que envíes adelante, que esperar en el auxilio de otros. Si no eres solícito para ti ahora, ¿quién cuidará de ti después? Ahora es el tiempo precioso, ahora son los días de salud, ahora es el tiempo agradable, pero ¡oh dolor! que los gasta sin aprovecharte, pudiendo en él ganar la vida eterna. Vendrá tiempo en que desearás un día, o una hora para enmendarte, y no sé si te será concedida.

¡Oh carísimo hermano, de cuántos peligros te podría librar, y de cuán grave espanto salir, si siempre estuviese temeroso y receloso de la muerte! Trata ahora de vivir de modo, que en la hora de la muerte puedas antes alegrarte que temer. Aprende ahora a morir al mundo, para que después comiences a vivir con Cristo. Aprende ahora a despreciar todas las cosas, para que entonces puedas ir libremente a él. Castiga ahora con paciencia tu cuerpo, para que entonces puedas tener segura confianza.

¡Oh loco! ¿Por qué pensar vivir mucho, no teniendo un día seguro? ¡Cuántos han sido engañados y apartados del cuerpo cuando no lo pensaban! ¡Cuántas veces oíste contar que uno murió a puñaladas, otro se ahogó, otro cayó de alto y se rompió la cabeza, otro comiendo se quedó yerto, a otro jugando le llegó su fin; uno murió con fuego, otro con hierro, otro de peste, otro a mano de ladrones! pues la muerte es el fin de todos, y la vida de los hombres se pasa súbitamente como sombra.

¿Quién se acordará de ti, y quién rogará por ti después de muerto? Ahora, hermano, haz lo que pudieres, que no sabes cuándo morirás, ni lo que será de ti después de la muerte. Ahora que tienes tiempo, atesora riquezas inmortales, no pienses sino en tu salvación, y cuida solamente de las cosas de Dios. Hazte amigos de entre los Santos, honrándolos e imitando sus obras, para que cuando salieres de esta vida, te reciban en las moradas eternas.

Trátate como huésped y peregrino sobre la tierra, a quien no le va nada en los negocios del mundo. Guarda tu corazón libre y elevado a Dios, porque aquí no tienes ciudad permanente. Dirige allí diariamente tus oraciones, tus gemidos y tus lágrimas, porque merezca tu espíritu, después de la muerte, pasar dichosamente al Señor.

CAPÍTULO XXIV

Del juicio y de las penas de los pecados

Mira el fin de todas las cosas, y de qué modo te presentará delante de aquel rectísimo Juez, al cual no hay cosa encubierta, ni se aplaca con dones, ni admite excusas, sino que juzgará en justicia. ¡Oh ignorante y miserable pecador! ¿Qué responderás a Dios, que sabe todas tus maldades? Tú, que temes a las veces el rostro de un hombre airado, ¿por qué no te previenes para el día del juicio, cuando no habrá quién defienda ni ruegue por otro, sino que cada uno tendrá que hacerlo por sí? Ahora tu trabajo es fructuoso, tu llanto aceptable, tus gemidos se oyen, tu dolor es satisfactorio.

Grave y saludable purgatorio, tiene aquí el hombre sufrido, que recibiendo injurias, se duele más de la malicia del injuriador, que de su propia ofensa. Él ruega a Dios por sus contrarios de buena gana y de corazón perdona los agravios, y no tarda en pedir perdón a cualquiera, y más fácilmente tiene misericordia que se indigna. Él se hace violencia muchas veces, y procura sujetar del todo su carne al espíritu. Mejor es ahora purgar los pecados y cortar los vicios, que dejar su expiación para lo venidero. Por cierto, nosotros nos engañamos a nosotros mismos por el amor desordenado que nos tenemos.

¿En qué otra cosa se cebará aquel fuego sino en tus pecados? Cuanto más aquí te perdonas y sigues tu propio amor, tanto más gravemente después serás atormentado, pues guardas mayor materia para quemarte. En lo mismo que pecó el hombre, será más gravemente castigado. Allí los perezosos serán punzados con aguijones ardientes, y los golosos serán atormentados con gravísima hambre y sed. Allí los lujuriosos y amadores de deleites serán bañados con pez ardiente y fétido azufre, y los envidiosos aullarán en su dolor como perros rabiosos.

No habrá vicio que no tenga su propio tormento. Allí los soberbios estarán llenos de confusión, y los avarientos serán oprimidos con miserable necesidad. Allí será más grave pasar una hora de tormento, que aquí cien años de penitencia amarga. Allí no hay sosiego ni consolación para los condenados; mas aquí algunas veces cesan los trabajos, y consuelan los amigos. Ahora te den cuidado y causen dolor tus pecados, para que en el día del juicio estés seguro con los bienaventurados; pues entonces estarán los justos con gran constancia contra los que los angustiaron y persiguieron. Entonces estará para juzgar el que aquí se sujetó humildemente al juicio de los hombres. Entonces tendrá mucha confianza el pobre y el humilde, mas el soberbio por todos lados se estremecerá.

Entonces será tenido por sabio el que aprendió aquí a ser ignorante y menospreciado por Cristo. Entonces agradará toda tribulación sufrida con paciencia, y toda maldad no despegará los labios. Entonces se holgarán todos los devotos, y se entristecerán todos los disolutos. Entonces resplandecerá el vestido despreciado, y parecerá vil el traje precioso. Entonces será más alabada la pobre casilla que el palacio adornado. Entonces ayudará más la constante paciencia que todo el poder del mundo. Entonces será más ensalzada la simple obediencia, que toda la sagacidad del siglo.

Entonces alegrará más la pura y buena conciencia que la docta filosofía. Entonces se estimará más el desprecio de las riquezas, que todo el tesoro de los ricos de la tierra. Entonces te consolarás más de haber orado con devoción, que de haber comido delicadamente. Entonces te gozarás más de haber guardado el silencio, que de haber hablado mucho. Entonces te aprovecharán más las obras santas, que las palabras floridas. Entonces te agradará más la vida estrecha y la rigurosa penitencia, que todas las delicias terrenas. Aprende ahora a padecer en lo poco, porque después seas libre de lo muy grave; primero prueba aquí lo que podrás después. Si ahora no puedes padecer levemente, ¿cómo podrás después sufrir los tormentos eternos? Si ahora una pequeña penalidad te hace tan impaciente, ¿qué hará entonces el infierno? De verdad no puedes tener dos gozos, deleitarte en este mundo, y después reinar en el cielo con Cristo.

Si hasta ahora hubiese vivido en honras y deleites, y te llegase la muerte en este instante, ¿qué te aprovecharía todo aquello? Porque todo es vanidad, menos el amar y servir a Dios solo. Porque los que aman a Dios de todo corazón no temen la muerte, ni el tormento, ni el juicio, ni el infierno. El amor perfecto tiene segura la comunicación con Dios, mas quien se deleita en pecar, no es maravilla que tema la muerte y el juicio. Bueno es que si el amor no nos desvía de lo malo, por lo menos el temor del infierno nos refrene; pero el que pospone el temor de Dios, no puede perseverar mucho tiempo en el bien, antes caerá muy presto en los lazos del demonio.

CAPÍTULO XXV

De la fervorosa enmienda de toda nuestra vida

Vela con mucha diligencia en el servicio de Dios, y piensa de ordinario a qué viniste, y por qué dejaste el siglo. ¿Por ventura, no le despreciaste con el fin de vivir para Dios y convertirte en hombre espiritual? Corre, pues con fervor a la perfección, que presto recibirás el galardón de tus trabajos, y no habrá de ahí adelante temor ni dolor en tu fin. Ahora trabajarás un poco, y hallarás después gran descanso, y aun perpetua alegría. Si permaneces fiel y diligente en el servir, sin duda será Dios fidelísimo y riquísimo en el pagar. Ten firme esperanza que alcanzarás victoria; mas no conviene tener seguridad, porque no te entibies o te ensoberbezcas.

Como uno estuviese congojado, y entre la esperanza y el temor dudase muchas veces, cargado de tristeza se postró delante de un altar en la iglesia para rezar; y revolviendo en su corazón varias cosas dijo: ¡Oh si supiese que había de perseverar! Y luego oyó en lo interior esta divina respuesta: ¿Qué harías si eso supieres? Haz ahora lo que harías entonces, y estarás bien seguro. Y al punto, consolado y confortado, se ofreció a la divina voluntad, cesó su congojosa turbación, y no quiso más escudriñar curiosamente para saber lo que le había de suceder; pero anduvo con mucho cuidado de saber lo que fuese la voluntad de Dios, y a sus divinos ojos más agradable y perfecto, para comenzar y perfeccionar toda buena obra.

El Profeta dice: *Espera en el Señor, y haz bondad, y mora en la tierra, y serás apacentado en sus riquezas.* Detiene a muchos el fervor de su aprovechamiento el temor de las dificultades o el trabajo de la batalla. Ciertamente aprovechan más en las virtudes aquellos que más varonilmente ponen todas sus fuerzas para vencer las que le son más graves y contrarias; porque allí aprovecha uno más, y alcanza mayor gracia, adonde más se vence y se mortifica en el espíritu.

Pero no todos tienen igual ánimo para vencer y mortificarse. Mas el diligente y celoso de su aprovechamiento será más fuerte para la perfección, aunque tenga muchas pasiones, que el de buen natural si no pone cuidado en las virtudes. Dos cosas especialmente ayudan mucho a enmendarse, conviene a saber, desviarse con esfuerzo de aquello a que inclina la naturaleza viciosamente, y trabajar con fervor por el bien que más necesita. Estudia también en vencer y evitar lo que de ordinario te desagrada en tus prójimos.

Mira que te aproveches donde quiera; y si vieres y oyeres buenos ejemplos, anímate a imitarlo. Mas si vieres alguna cosa digna de represión, guárdate de hacerlo; y si alguna vez lo hiciste, procura enmendarte luego. Así como tú observas a los otros, así los otros te observan a ti. ¡Oh cuán alegre y dulce cosa es ver a los hermanos devotos y fervorosos, con santas costumbres, y en observante disciplina! ¡Cuán triste y penoso es verlos andar desordenados, y que no cumplen aquello a que son llamados por su vocación! ¡Oh cuán dañoso es ser negligente en el propósito de su llamamiento, y ocuparse en lo que no les mandan!

Acuérdate del propósito que hiciste, y pon delante de ti la imagen del Crucifijo. Bien puedes avergonzarte mirando su vida sacratísima; porque aun no has procurado conformarte más con él, aunque hace muchos años que estás en el camino de Dios. El religioso que se ejercita intensa y devotamente en la santísima Vida y Pasión del Señor, halla allí cumplidamente todo lo útil y necesario para sí, y no tiene que buscar cosa mejor fuera de Jesucristo. ¡Oh si viniese a nuestro corazón Jesús crucificado, cuán presto y cumplidamente seríamos enseñados!

El religioso fervoroso acepta todo lo que le mandan, y lo lleva con paciencia. El negligente y perezoso tiene tribulación sobre tribulación, y de todas partes padece angustia, porque carece de la consolación interior, y no le dejan buscar la exterior. El religioso que vive fuera de la disciplina se expone a caer gravemente. El que busca vivir en anchura y flojedad, siempre estará en angustias; porque lo uno o lo otro le descontentará.

¿Cómo lo practica tanta multitud de religiosos, que viven encerrados bajo la observancia del claustro? Salen pocas veces, viven retirados, comen pobremente, visten groseramente, trabajan mucho, hablan poco, velan largo tiempo, madrugan mucho, tienen continuas horas de oración, leen a menudo y guardan en todo la disciplina. Mira cómo los de la Cartuja y los del Cister, y los Monjes y Monjas de diversos órdenes se levantan cada noche a alabar al Señor. Por eso, sería vergonzoso que tú emperezases en obra tan santa, donde tanta multitud de religiosos comienza a alabar a Dios.

¡Oh si nunca hubiésemos de hacer otra cosa sino alabar a nuestro Señor, de todo corazón y con la boca! ¡Oh si nunca tuviese necesidad de comer, de beber ni de dormir, sino que siempre pudieses alabar a Dios, y solamente ocuparte en cosas espirituales! Entonces serías mucho más dichoso que ahora, cuando sirves a la necesidad de la carne. Pluguiese a Dios que no tuviésemos estas necesidades, sino solamente las refacciones espirituales, las cuales ¡ay! gustamos bien raras veces.

Cuando el hombre llega al tiempo en que no busca su consolación en criatura alguna, entonces comienza a gustar de Dios perfectamente, y está contento, también de todo lo que le sucede. Entonces, ni se alegra en lo mucho, ni se entristece por lo poco, sino que se pone entera y fielmente en manos de Dios, el cual le es todo en todas las cosas, y para el cual ninguna cosa perece ni muere, mas todas viven y le sirven sin tardanza.

Acuérdate siempre del fin, y que el tiempo perdido jamás vuelve. Nunca alcanzarás las virtudes sin cuidado y diligencia. Si comienzas a ser tibio, comenzará a irte mal; mas si te dieres al fervor, hallarás gran paz, y te será el trabajo muy ligero por la gracia de Dios, y por al amor de la virtud. El hombre que tiene fervor y diligencia, a todo está dispuesto. Mayor trabajo es resistir a los vicios y pasiones, que sudar en los trabajos corporales. El que no evita los defectos pequeños, poco a poco cae en los grandes. Gozarás siempre a la noche, si gastares bien la vida. Vela sobre ti, excítate y amonéstate a ti propio. Sea de los otros lo que fuere, no te descuides de ti. Tanto más aprovecharás cuanto más violencia te hicieres. Amén.

LIBRO SEGUNDO

Avisos para el trato interior

CAPÍTULO I

De la conversación interior

El reino de Dios dentro de vosotros está, dice el Señor. Conviértete a Dios de todo corazón y deja ese miserable mundo, y hallará tu alma reposo. Aprende a menospreciar las cosas exteriores y date a las interiores, y verás que viene a ti el reino de Dios. Pues *el reino de Dios es paz y gozo en el Espíritu Santo*, lo cual no se da a los malos. Si le preparas digna morada en tu interior, Jesucristo vendrá a ti y de mostrará su consolación. Toda su gloria y hermosura es en lo interior, y allí se complace. Su continua visitación es con el hombre interior; con él habla dulcemente, es grata su consolación, tiene mucha paz, y admirable familiaridad.

Sé, pues, alma fiel, y prepara tu corazón a este Esposo, para que quiera venirse a ti y morar contigo; porque él dice así; *Si alguno me ama, guardará mi palabra, vendremos a él, y moraremos en él*. Da pues lugar a Cristo, y a todo lo demás cierra la entrada. Si a Cristo tuvieres, estarás rico y te bastará. Él será tu proveedor y fiel procurador en todo, de manera que no tendrás necesidad de esperar en los hombres. Porque los hombres se mudan fácilmente y desfallecen en breve; pero Jesucristo permanece para siempre, y está firme hasta el fin.

No hay que poner mucha confianza en el hombre frágil y mortal, aunque sea provechoso y bien querido, ni se ha de tomar mucha pena si alguna vez fuere contrario. Los que hoy están a tu favor, mañana te pueden contradecir, y al contrario; muchas veces se vuelven como el viento. Pon en Dios toda tu esperanza, y sea él tu temor y tu amor. Él responderá por ti y lo hará como mejor convenga. No tienes aquí ciudad de morada; donde quiera que fueses serás extraño y peregrino, y no tendrás jamás reposo hasta que estés íntimamente unido con Cristo.

¿Qué miras aquí, no siendo éste el lugar de tu descanso? En el cielo ha de ser tu morada, y como de paso has de mirar todo lo terrestre. Todas las cosas pasan, y tú con ellas. Guarda, no te apegues a cosa alguna, porque no seas preso y perezcas. En el Altísimo esté tu pensamiento; y tu oración diríjase sin cesar a Cristo. Si no sabes contemplar las cosas altas y celestiales, descansa en su pasión, y mora muy gustoso en sus sacratísimas llagas. Porque si te llegas devotamente a las llagas y preciosas heridas de Jesucristo, gran consuelo sentirás en la tribulación, no harás mucho caso de los desprecios de los hombres y fácilmente sufrirás las palabras de los maldicientes.

Cristo fue también en el mundo despreciado de los hombres, y entre grandes afrentas desamparado de amigo y conocidos, y en la mayor necesidad. Cristo quiso padecer y ser despreciado, ¿y tú osas quejarte de cosa alguna? Cristo tuvo adversarios y murmuradores, ¿y tú quieres tener a todos por amigos y bienhechores? ¿Cómo se coronará tu paciencia, si ninguna adversidad se te ofrece? Si no quieres sufrir algo, ¿cómo serás amigo de Cristo? Sufre con Cristo y por Cristo, si quieres reinar con Cristo.

Si una vez entrases perfectamente en lo interior de Jesucristo, y gustases un poco de su encendido amor, entonces no tendrías cuidado de tu provecho o daño propio, antes te holgarías más de las injurias que te hiciesen; porque el amor de Jesús hace al hombre despreciarse a sí mismo. El amador de Jesús y de la verdad, y el hombre verdaderamente interior y libre de afectos desordenados, se puede volver fácilmente a Dios y elevarse sobre sí mismo en espíritu, y gozarse en él con suavidad.

Aquél que aprecia todas las cosas como son, no como se dicen o estiman, es verdaderamente sabio, y enseñado más por Dios que por los hombres. El que sabe vivir interiormente y tener en poco las cosas exteriores, no busca lugares, ni espera tiempos para darse a ejercicios devotos. El hombre interior presto se recoge; porque nunca se derrama del todo a las cosas exteriores, no le estorba el trabajo exterior, ni la ocupación tomada en tiempo necesario; sino que como suceden las cosas, se conforma a ellas. El que está interiormente bien dispuesto y ordenado, no cuida de lo que perversamente obran los mundanos. Tanto se estorba uno y se distrae, cuanto atrae a sí las cosas del mundo.

Si fueres recto y puro de pasiones, todo te sucederá bien y con provecho. Por eso te descontentan muchas cosas a cada paso, y te turban, porque aún no estás muerto a ti perfectamente, ni apartado del todo de lo terreno. No hay cosa que tanto mancille y embarace al corazón del hombre, como el amor desordenado a las criaturas. Si desprecias las consolaciones exteriores, podrás contemplar las cosas celestiales y muchas veces gozarte interiormente.

CAPÍTULO II

De la humilde sujeción

No tengas en mucho a quien esté por ti o contra ti; más procura que Dios sea contigo en todo lo que haces. Ten buena conciencia y Dios te defenderá. Al que Dios quiere ayudar, no le podrá dañar la malicia de hombre alguno. Si sabes callar y sufrir, sin duda tendrás el favor de Dios. Él sabe el tiempo y el modo de librarte, y por eso te debes abandonar a él. A Dios pertenece ayudarnos y librarnos de toda confusión. Algunas veces conviene mucho, para guardar mayor humildad, que otros sepan nuestros defectos y los reprendan.

Cuando un hombre se humilla por sus defectos, entonces fácilmente aplaca a los otros, y sin dificultad satisface a los que están enojados con él. Dios defiende y libra al humilde, ama al humilde y le consuela; se inclina al humilde y le da su gracia, y después de su abatimiento le eleva a la gloria. Al humilde descubre sus secretos, y le atrae dulcemente a sí, y le convida. El humilde, recibida la afrenta está en paz, porque descansa en Dios, y no en el mundo. No pienses haber aprovechado algo, si no te estimas por menos que todos.

CAPÍTULO III

Del hombre bueno y pacífico

Ponte primero a ti en paz, y después podrás apaciguar a los otros. El hombre pacífico, aprovecha más que el muy letrado. El hombre apasionado, aún el bien convierte en mal, y de ligero cree lo malo. El hombre bueno y pacífico, todas las cosas echa a buena parte. El que está en buena paz, de ninguno sospecha.

El descontento y alterado, con diversas sospechas se atormenta; ni él sosiega, ni deja descansar a los demás. Dice muchas veces lo que no debiera y deja de hacer lo que más le conviene. Piensa lo que otros deben hacer y deja él sus obligaciones. Ten pues, primero celo contigo, y después podrás ser celoso con el prójimo.

Tú sabes muy bien excusar y disimular tus faltas, y no quieres oír las disculpas ajenas; más justo sería que te acusases a ti, y excusaras a tu hermano. Sufre a los demás si quieres que te sufran. Mira cuán lejos estás aún de la verdadera caridad y humildad, la cual no sabe desdeñarse y airarse sino contra sí. No es mucho tratar con los buenos y mansos, que esto gusta naturalmente, y cada uno de buena gana tiene paz y ama a los que concuerdan con él; mas poder vivir en paz con los hombres duros, perversos y de mala condición, y con quien nos contradice, gran gracia es, y acción varonil y loable.

Hay algunos que tienen paz consigo mismos y la tienen también con los demás. Otros hay que ni tienen paz consigo ni la dejan tener a otros; siendo molestos para los demás, son aún más molestos para sí mismos. Y hay otros que tienen paz consigo y trabajan para poner en paz a los otros. Así, pues, toda nuestra paz en esta miserable vida, más se ha de fundar en el sufrimiento humilde, que en no sentir contrariedades. El que mejor sabe padecer, tendrá mayor paz. Este tal es vencedor de sí mismo, y señor del mundo, amigo de Cristo y heredero del cielo.

CAPÍTULO IV

Del puro corazón y sencilla intención

Con dos alas se levanta el hombre sobre las cosas terrestres, que son simplicidad y pureza. La simplicidad ha de estar en la intención y la pureza en el afecto. La simplicidad pone la intención en Dios; la pureza le abraza y gusta de él. Ninguna buena obra te impedirá si interiormente estuvieres libre de todo deseo desordenado. Si no piensas ni buscas sino el beneplácito divino y el provecho del prójimo, gozarás de interior libertad. Si fuese tu corazón recto, entonces te sería toda criatura espejo de vida y libro de santa doctrina. No hay criatura tan baja ni pequeña que no manifieste la bondad de Dios.

Si fuese bueno y puro en lo interior, luego verías y entenderías bien todas las cosas sin impedimento. El corazón puro penetra en el cielo y en el infierno. Cual es cada uno en lo interior, tal juzga lo de fuera. Si hay gozo en el mundo, el hombre puro de corazón lo posee; y si en algún lugar hay tribulación y congojas, esto lo siente mejor la mala conciencia. Así como el hierro metido en el fuego pierde el moho y se pone todo resplandeciente; así el hombre que enteramente se convierte a Dios, es despojado de su entorpecimiento y se muda en nuevo hombre.

Cuando el hombre comienza a entibiarse, entonces teme el trabajo aunque pequeño, y toma de buena gana la consolación exterior; mas cuando se comienza perfectamente a vencer y andar alentadamente en el camino de Dios, tiene por ligeras las cosas que primero tenía por graves.

CAPÍTULO V

De la propia consideración

No debemos confiar mucho en nosotros mismos, porque muchas veces nos falta la gracia y la discreción. Poca luz hay en nosotros, y presto la perdemos por nuestra negligencia. Muchas veces no sentimos cuán ciegos estamos en el alma. Muchas veces también obramos mal, y nos excusamos peor. Y a veces nos mueve la pasión, y pensamos que es el celo. Reprendemos en los otros las cosas pequeñas, y disimulamos en nosotros las graves. Muy presto sentimos y ponderamos lo que de otro sufrimos; mas no miramos cuánto enojamos a los demás. El que bien y rectamente ponderare sus obras, no tendrá que juzgar gravemente las ajenas.

El hombre interior antepone el cuidado de sí mismo a todos los cuidados; y el que tiene verdadero cuidado de sí poco habla de otros. Nunca serás recogido y devoto si no callares las cosas ajenas, y especialmente mirares a ti mismo. Si del todo te ocupares en Dios y en ti, poco te moverá lo que sientes de fuera. ¿Adónde estás cuando no estás contigo? Después de haber discurrido por todas las cosas, ¿qué has ganado si de ti te olvidaste? Si has de tener paz y unión posponlas y tengas a ti solo delante de tus ojos.

Mucho aprovecharás si te conservares libre de todo cuidado temporal; y muy menguado serás si alguna cosa temporal estimares en mucho. No te parezca cosa alguna elevada, ni grande ni agradable, sino Dios, o cosa que sea puramente de Dios. Ten por cosa vana cualquier consolación que viniere de alguna criatura. El alma que ama a Dios, desprecia todas las cosas sin él. Solo Dios eterno e inmenso, que todo lo llena, es gozo del alma y alegría verdadera del corazón.

CAPÍTULO VI

De la alegría de la buena conciencia

La gloria del hombre bueno es el testimonio de la buena conciencia. Ten buena conciencia y siempre tendrás alegría. La buena conciencia puede sufrir muchas cosas, y está muy alegre en las adversidades. La mala conciencia siempre está con inquietud y temor. Suavemente descansarás si no te reprende tu corazón. No te alegres sino cuanto hicieres algún bien. Los malos nunca tienen alegría verdadera, ni sienten paz interior; porque *No tienen paz los impíos*, dice el Señor; y si dijeren: "En paz estamos, no vendrán males sobre nosotros, y ¿quién se atreverá a ofendernos?" no los creas; porque de repente se levantará la ira de Dios, y pararán en nada sus obras, y perecerán sus pensamientos.

Gloriarse en la tribulación no es dificultoso al que ama; porque gloriarse de esta suerte, es gloriarse en la cruz del Señor. Breve es la gloria que se da y se recibe de los hombres. La gloria del mundo siempre va acompañada de tristeza. La gloria de los buenos está en sus conciencias y no en la boca de los hombres. La alegría de los justos es de Dios y en Dios, y su gozo es la verdad. El que desea la verdadera y eterna gloria no hace caso de la temporal; y el que busca la gloria temporal o no la desprecia de corazón, señal es que ama poco la celestial. Gran quietud de corazón tiene el que no hace caso de las alabanzas ni de los vituperios.

La conciencia limpia, fácilmente se sosiega y está contenta. No eres más santo porque te alaben, ni más vil porque te desprecien. Lo que eres, eso eres, ni puedes tenerte por mayor de lo que Dios sabe que eres. Si miras lo que eres dentro de ti, no te dará cuidado lo que de ti hablan los hombres. El hombre ve lo de afuera, mas Dios ve el corazón. El hombre considera las obras, mas Dios pesa las intenciones. Hacer siempre bien, y tenerse en poco, señal es de una alma humilde. No querer consolación de criatura alguna, señal es de gran pureza y de íntima confianza.

El que no busca en los hombres prueba de su bondad, claramente muestra que se entrega del todo a Dios; porque dice S. Pablo: *No el que se loa a sí mismo es aprobado, sino el que Dios alaba.* Andar en lo interior con Dios y no distraerse con alguna afición exterior, es el estado del varón espiritual.

CAPÍTULO VII

Del amor de Jesús sobre todas las cosas

Bienaventurado el que conoce lo que es amar a Jesús y despreciarse a sí mismo por Jesús. Conviene dejar un amor por otro; porque Jesús quiere ser amado él solo sobre todas las cosas. El amor de la criatura es engañoso y mudable. El amor de Jesús es fiel y permanente. El que se llega a la criatura caerá con lo caedizo; el que abraza a Jesús perseverará firme para siempre. Ama y ten por amigo a aquél, que aunque todos te desamparen no te desamparará ni dejará perecer en el fin. De todos has de ser desamparado alguna vez, quieras o no.

Sigue el partido de Jesús con toda constancia en vida y en muerte, y entrégate a él muy seguro de su fidelidad, pues él solo te puede ayudar cuando todos te faltaren. Tu amado es de tal condición, que no quiere consigo admitir a otro, sino que él, sólo, quiere poseer todo tu corazón y hacer su asiento en él como un Rey en su propio trono. Si supieses bien desocuparte de toda criatura, Jesús moraría de buena gana contigo. Cuanto amor pusieres en los hombres, no siendo por Jesús, lo tendrás perdido. No confíes ni estribes sobre la caña hueca, porque *toda carne es heno, y toda su gloria se marchita como su flor.*

Si mirares solamente la apariencia de los hombres, presto serás engañado. Porque si buscas tu descanso y provecho en otros, muchas veces sentirás daño; mas si en todo buscas a Jesús, le hallarás en todas partes. Y si te buscas a ti mismo, también te hallarás, pero será para tu mal; pues más se daña el hombre a sí mismo si no busca a Jesús, que todo el mundo y todos sus enemigos le pueden dañar.

CAPÍTULO VIII

De la familiar amistad de Jesús

Cuando Jesús está presente, todo es bueno y nada parece difícil; mas cuando Jesús está ausente, todo es duro. Cuando Jesús no habla dentro del alma, muy despreciable es la consolación; mas si Jesús habla una sola palabra, se siente gran consolación. Por ventura ¿no se levantó luego María Magdalena del lugar donde lloraba, cuando le dijo Marta: *El Maestro está aquí y te llama*? Bienaventurada la hora, cuando Jesús llama de las lágrimas al gozo del espíritu. ¡Cuán árido y duro eres sin Jesús! ¡Cuán necio y vano si codicias algo fuera de Jesús! ¿No es éste mayor daño que si perdieses todo el mundo?

¡Qué puede dar el mundo sin Jesús! Estar sin Jesús es grave infierno; estar con Jesús es dulce paraíso. Si Jesús estuviera contigo, ningún enemigo te podrá dañar. El que halla a Jesús halla un buen tesoro, y de verdad bueno sobre todo bien. Y el que pierde a Jesús pierde muy mucho, y más que si perdiese todo el mundo. Pobrísimo es el que vive sin Jesús, y riquísimo el que está bien con Jesús.

Grande arte es saber conversar con Jesús, y gran prudencia saber tener a Jesús. Sé humilde y pacífico, y Jesús será contigo. Si eres devoto y reposado permanecerá contigo Jesús. Presto puedes apartar de ti a Jesús y perder su gracia si te inclinas a las cosas exteriores. Si apartas de ti a Jesús, y le pierdes, ¿a dónde irás? ¿a quién buscarás por amigo? Sin amigo no puedes vivir contento; y si no fuere Jesús tu especialísimo amigo, estarás muy triste y desconsolado. Pues neciamente obras si en otro alguno confías o te alegras. Más se debe escoger tener todo el mundo contrario, que tener ofendido a Jesús. Pues sobre todos tus amigos sea Jesús amado especialmente.

Ámese a todos por amor de Jesús, y ámese a Jesús por sí mismo. Solo Jesucristo se debe amar singularísimamente, porque él solo es bueno, y fidelísimo más que todos los amigos. Por él y en él debes amar a los amigos y a los enemigos, y rogarle por todos para que te conozcan y te amen. Nunca desees ser alabado ni amado singularmente, porque eso sólo a Dios pertenece, que no tiene igual. Ni quieras que ninguno ocupe contigo su corazón, ni tú ocupes el tuyo con el de nadie; más sea sólo Jesús en ti y con todo hombre bueno.

Sé puro y libre en lo interior, sin apego a criatura alguna, porque te conviene tener para con Dios un corazón puro, si quieres descansar y ver cuán suave es el Señor. Y verdaderamente no llegarás a esto si no fueres prevenido y atraído por su gracia, para que dejadas y echadas de ti todas las cosas, seas unido solo con él solo. Pues cuando viene la gracia de Dios al hombre, entonces se hace poderoso para todo; y cuando esta gracia se retira, queda pobre y enfermo, y como desnudo y abandonado, sólo para el castigo. En este estado no debe el hombre desmayar, ni desesperar, sino estar constante en la voluntad de Dios, y sufrir con ánimo tranquilo todo lo que le aconteciere por la gloria de Jesucristo; porque después del invierno viene el verano, después de la noche vuelve el día, y pasada la tempestad llega la bonanza.

CAPÍTULO IX

Cómo conviene carecer de todo consuelo

No es grave cosa despreciar la consolación humana cuando tenemos la divina. Gran cosa es, y muy grande, ser privado y carecer de consuelo divino y humano, y querer sufrir de buena gana la sequedad del corazón por la honra de Dios, y en ninguna cosa buscarse a sí mismo ni atender al propio merecimiento. ¿Qué gran cosa es si estás alegre y devoto, cuando desciende sobre ti la gracia de Dios? Esta hora todos la desean. Muy suavemente camina aquél a quien conduce la gracia de Dios. ¿Y qué maravilla si no siente carga el que es llevado por el Omnipotente, y guiado por el Conductor supremo?

De buena gana tomamos algún pasatiempo por consuelo, y con dificultad se desnuda el hombre de sí mismo. El mártir San Lorenzo venció al mundo y aún el afecto a su sacerdote San Sixto, porque despreció todo lo que en el mundo parecía deleitable, y sufrió con paciencia por amor de Cristo, que le fuese quitado aquel Sumo Sacerdote de Dios, a quien él amaba mucho. Pues así con el amor de su Criador venció el amor del hombre, y trocó el consuelo humano por el beneplácito divino. Así aprende tú a dejar algún pariente, o amigo por amor de Dios, y no te aflijas cuando te dejare tu amigo, sabiendo que es necesario nos separemos al fin unos de otros.

De continuo, y mucho, conviene que pelee el hombre consigo mismo, antes que se sepa vencer enteramente y poner en Dios todo su afecto. Cuando el hombre se está en sí mismo, con facilidad se desliza en las consolaciones humanas; mas el verdadero amador de Cristo, y cuidadoso imitador de sus virtudes, no se arroja a las consolaciones, ni busca dulzuras sensibles, antes procura ejercicio de fortaleza y sufre por Cristo duros trabajos.

Así pues, cuando Dios te diere la consolación espiritual, recíbela con hacimiento de gracias, y entiende que es don de Dios, y no tu merecimiento. Por tanto, no te engrías ni te alegres demasiado, ni presumas vanamente, antes humíllate más por el don recibido, y sé más avisado y temeroso en todas tus obras, porque se pasará aquella hora y vendrá la tentación. Cuando te fuere quitado el consuelo, no desconfíes desde luego; sino espera con humildad y paciencia la visitación celestial, porque Dios es poderoso para volver a darte mucha mayor consolación. Esto no es cosa nueva ni ajena para los que han experimentado el camino de Dios, porque en los grandes santos y antiguos profetas acaeció muchas veces esta especie de alternativa.

Por eso decía uno cuando sentía efectos de la gracia: *Yo dije en mi abundancia: No seré movido ya para siempre.* Y ausente la gracia añade lo que experimentó en sí diciendo: *Apartaste de mí tu rostro, y quedé conturbado.* Mas con todo esto no desespera, sino con mayor instancia ruega a Dios y dice: *A ti, Señor, llamaré, y a mi Dios rogaré;* y al fin alcanza el fruto de su oración y confirma su oído diciendo: *Oyóme el Señor y hubo misericordia de mí; el Señor se hizo mi ayudador.* ¿Mas en qué? *Volviste,* dice, *mi llanto en gozo y rodeásteme de alegría.* Y si así se hizo con los grandes santos, no debemos nosotros, enfermos y pobres desesperar si algunas veces estamos fervorosos y otras veces fríos, porque el espíritu viene y se va, según la divina voluntad. Por eso dice el bienaventurado Job: *Visitas al hombre en la mañana, y súbitamente le pruebas.*

¿Pues en qué puedo esperar, o en quién debo confiar, sino solamente en la gran misericordia de Dios y en la esperanza de la gracia celestial? Porque aunque esté cercado de hombres buenos, de hermanos devotos o de amigos fieles; que lea libros santos o tratados excelentes; que entone cánticos suaves y dulces himnos, toco aprovecha poco y tiene poco sabor cuando estoy desamparado de la gracia y dejado en mi propia pobreza; entonces no hay mejor remedio que la paciencia, y negándome a mí mismo, resignarme en la voluntad de Dios.

Nunca hallé hombre tan religioso y devoto, que alguna vez no tuviese intermisión del consuelo divino, o no haya sentido disminución del fervor. Ningún santo fue tan altamente arrebatado e iluminado que antes o después no haya sido probado con tentaciones, pues no es digno de la sublime contemplación de Dios el que no fue ejercitado por Dios en alguna tribulación. Suele ser la tentación precedente señal que vendrá el consuelo, pues a los probados en la tentación está prometido el gozo celestial. *Al que venciere,* dice el Señor, *daré a comer del árbol de la vida.*

Dase también la consolación divina para que el hombre sea más fuerte para sufrir las adversidades; y se sigue la tentación porque no se ensoberbezca en le bien. El demonio no duerme ni la carne está aún muerta; por esto no ceses de prepararte para la batalla, porque a diestra y a siniestra están los enemigos que nunca descansan.

CAPÍTULO X

Del agradecimiento por la gracia de Dios

¿Para qué buscas descanso, pues naciste para el trabajo? Disponte para la paciencia más que para la consolación, y más para llevar Cruz que a tener alegría. ¿Qué hombre del mundo no tomará de buena gana el consuelo y alegría espiritual, si siempre la pudiese alcanzar? Porque las consolaciones espirituales exceden a todos los placeres del mundo y a los deleites de la carne. Porque todos los deleites mundanos son torpes o vanos; mas sólo los deleites espirituales son los alegres y honestos, engendrados de las virtudes e infundidos por Dios en los corazones puros. Mas no puede ninguno gozar continuamente de estas consolaciones divinas como quiere, porque el tiempo de la tentación pocas veces cesa.

Muy contraria es a la soberana visitación la falsa libertad del alma y la confianza de sí mismo. Bien hace Dios dando la gracia de la consolación; pero el hombre hace mal no atribuyéndolo todo a Dios y dándole gracia. Y por esto no son mayores en nosotros los dones de la gracia, porque somos ingratos al Bienhechor y no lo atribuimos todo a la fuente original; porque siempre se debe gracia al que dignamente es agradecido, y se quita al soberbio lo que se suele dar al humilde.

No quiero consuelo que me quite la compunción, ni contemplar lo que me ocasiones soberbia; pues no es santo todo lo elevado, ni todo lo dulce bueno, ni todo deseo puro, ni todo lo que amamos agradable a Dios. De grado admito yo la gracia que me haga más humilde y timorato, y me disponga más a renunciarme a mí. El hombre enseñado con el don de la gracia, y avisado con el escarmiento de haberla perdido, no osará atribuirse a sí bien alguno, antes confesará ser pobre y desnudo, lleno de verdad y de gloria celestial, no es codicioso de gloria vana. Los que están fundados y confirmados en Dios en ninguna manera pueden ser soberbios. Y los que atribuyen a Dios todo cuanto bien reciben, no buscan ser alabados unos de otros; más quieren la gloria que de sólo Dios viene, y desean que sea Dios glorificado sobre todas las cosas en sí mismo y en todos los santos, y siempre se dirigen a este fin.

Sé, pues, agradecido en lo poco y serás digno de recibir cosas mayores. Ten en mucho lo poco y lo más despreciable por don singular. Si miras a la dignidad del Dador, ningún don parecerá pequeño o despreciable. Por cierto no es poco lo que el Soberano Dios da; y aunque nos dé penas y azotes, se lo debemos agradecer, que siempre es para nuestra salvación todo lo que permite que nos suceda. El que desee conservar la gracia de Dios, agradézcale la gracia que le ha dado, y sufra con paciencia cuando le fuere quitada. Haga oración continua para que le sea restituida, y sea cauto y humilde para no perderla.

Da a Dios lo que es de Dios y atribúyete a ti lo que es tuyo, esto es, da gracias a Dios por la gracia y solo a ti atribúyete la culpa, y conoce que por la culpa te es debida justamente la pena.

Ponte siempre en lo más bajo, y te darán lo más alto, porque no está lo muy alto sin lo más bajo. Los Santos, que son grandes para con Dios, para consigo son pequeños; y cuanto más gloriosos, tanto son más humildes.

CAPÍTULO XI

Cuán pocos son los que aman la Cruz de Cristo

Jesucristo tiene ahora muchos amadores de su reino celestial, pero muy pocos que lleven su cruz. Tiene muchos que desean el consuelo, y muy pocos que quieran la tribulación. Muchos compañeros halla para la mesa, y pocos para la abstinencia. Todos quieren gozarse con él, mas pocos quieres sufrir algo por él. Muchos siguen a Jesús cuando no hay adversidades; muchos le alaban y bendicen en el tiempo que reciben de él algunas consolaciones; mas si Jesús se escondiese y los dejase un poco, luego se quejarían y abatirían.

Pero los que aman a Jesús por él mismo, y no por algún propio consuelo suyo, bendícenle en toda pena y angustia del corazón, tan bien como en el consuelo. Y aunque nunca más les quisiere dar consuelo, siempre le alabarían y darían gracias.

¡Oh cuánto puede el amor puro de Jesús sin mezcla del propio amor! Bien se pueden llamar propiamente mercenarios los que siempre buscan consolaciones. ¿No se aman a sí mismos más que a Cristo, los que continuamente piensan en su provecho y ganancias? ¿Dónde se hallará alguno que quiera servir a Dios de balde?

Pocas veces se halla alguno tan espiritual, que esté desnudo de todas las cosas. ¿Pues quién hallará el verdadero pobre de espíritu y desnudo de toda criatura? De muy lejos y muy precioso es su valor. Si el hombre diere su hacienda toda, aún no es nada; y si hiciere gran penitencia, aún es poco. Aunque tenga toda la ciencia, aún está lejos; y si tuviere gran virtud y muy fervorosa devoción, aún le falta mucho. ¿Y cuál es ésta? Que dejadas todas las cosas, se deje a sí mismo, y salga de sí del todo, y no le quede nada de amor propio. Y cuando conociere que ha hecho todo lo que debe hacer, piense que aún no ha hecho nada.

No tenga en mucho que lo puedan tener por grande; más llámese en la verdad siervo sin provecho, como dice la Verdad; *Cuando hubiereis hecho todo lo que os está mandado, aún decid: Siervos somos sin provecho*. Y así podrás ser pobre y desnudo de espíritu, y decir con el Profeta: *Uno solo y pobre soy*. Con todo eso, ninguno hay más rico, ninguno más poderoso, ninguno más libre, que aquél que sabe dejarse a sí mismo y a todas las cosas, y ponerse en el último lugar.

CAPÍTULO XII

Del camino real de la santa Cruz

Estas palabras parecen duras a muchos: *Niégate a ti mismo, toma tu cruz y sigue a Jesús.* Pero más duro será oír aquella postrera palabra: *Apartaos de mí, malditos, al fuego eterno.* Los que ahora oyen y siguen de buena voluntad la palabra de la eterna condenación. Esta señal de la Cruz estará en el cielo cuando el Señor venga a juzgar. Entonces todos los siervos de la Cruz, que se conformaron en esta vida con el Crucificado, se llegarán a Cristo Juez con gran confianza.

¿Por qué pues temes tomar la Cruz por la cual se va al Reino? En la Cruz está la salud, en la Cruz está la vida, en la Cruz está la defensa contra los enemigos, en la Cruz está la infusión de la suavidad celestial, en la Cruz está la fortaleza del corazón, en la Cruz está el gozo del espíritu, en la Cruz está la suma virtud, en la Cruz está la perfección de la santidad. No está la salud del alma ni la esperanza de la vida eterna sino en la Cruz. Toma, pues, tu Cruz y sigue a Jesús e irás a la vida eterna. Él vino primero y llevó su Cruz, y murió en la Cruz por ti, porque tú también la lleves y desees morir en ella. Porque si murieres juntamente con él vivirás con él, y si fueres compañero de sus penas, lo serás también de su gloria.

Mira que todo consiste en la Cruz, y todo está en morir en ella; y no hay otro camino para la vida y para la verdadera paz sino el de la santa Cruz y continua mortificación. Ve donde quisieres, busca lo que quisieres, y no hallarás más alto camino en lo eminente ni más seguro en lo abatido sino la senda de la santa Cruz. Dispón y ordena todas las cosas según tu querer y parecer, y no hallarás sino que has de padecer algo, o de grado o por fuerza, y así siempre hallarás la Cruz, pues, o sentirás dolor en el cuerpo o padecerás tribulación en el espíritu.

Unas veces te dejará Dios y otras te mortificará el prójimo, y lo que más es, muchas veces te descontentarás de ti mismo, y no serás aliviado ni confortado con ningún remedio ni consuelo, y será preciso que sufras hasta cuando Dios quisiere, porque quiere que aprendas a sufrir la tribulación sin consuelo y que te sujetes del todo a él, y te hagas más humilde con la aflicción. Ninguno siente tan de corazón la pasión de Cristo, como aquél a quien acaece sufrir penas semejantes. De modo que la cruz siempre está preparada y te espera en cualquier lugar. No la puedes huir donde quiera que fueres; porque a cualquier parte que huyas llevas a ti mismo. Vuélvete arriba, vuélvete abajo, vuélvete fuera, vuélvete adentro, en todo hallarás la cruz; y es necesario que en todo lugar tengas paciencia si quieres tener paz interior y merecer perpetua corona.

Si de buena voluntad llevas la cruz, ella te llevará y guiará al fin deseado, adonde será el fin de padecer, aunque aquí no lo sea. Si contra tu voluntad la llevas, la hiciste más pesada, y no obstante es preciso que la sufras. Si desechas una cruz, sin duda hallarás otra, y acaso más pesada.

¿Piensas tú escapar de lo que ninguno de los mortales pudo? ¿Quién de los santos estuvo en el mundo sin cruz y tribulación? Nuestro Señor Jesucristo, por cierto, en cuanto vivió en este mundo no estuvo una hora sin dolor, porque convenía que Cristo padeciese y resucitase de los muertos, y así entrase en su gloria. ¿Pues cómo buscas tú otra senda, sino este camino real que es el de la santa Cruz?

33

Toda la vida de Cristo fue cruz y martirio, ¿y tú buscas para ti holgura y gozo? Yerras, yerras si buscas otra cosa que sufrir tribulaciones, porque toda esta vida mortal está llena de miserias y por todas partes está rodeada de cruces; y cuanto más altamente alguno aprovechare en espíritu, tanto más pesadas cruces hallará muchas veces, porque la pena de su destierro crece más por el amor.

Mas este tal, así afligido de tantos modos, no está sin el alivio de la consolación, porque siente crecer en sí gran fruto de llevar su cruz, porque cuando se junta a ella de buena voluntad todo el peso de la tribulación se convierte en confianza del consuelo divino. Y cuanto más se quebranta la carne por la aflicción, tanto más se fortifica el espíritu por la gracia interior. Y algunas veces se conforta tanto con el afecto a la tribulación y adversidad por el amor y conformidad con la cruz de Cristo, que no quiere estar sin dolor y penalidad, porque se tiene por tanto más acepto a Dios, cuanto mayores y más graves cosas pudiere sufrir por él. Esto no es virtud humana, sino gracia de Cristo, que tanto puede y hace en la carne frágil, que lo que naturalmente el hombre siempre aborrece y huye, lo acometa y acabe con fervor de espíritu.

No es propio de la humana condición, amar la cruz, castigar el cuerpo y sujetarle a servidumbre, huir los honores, sufrir de grado las injurias, despreciarse a sí mismo y desear ser despreciado, tolerar todo lo adverso con daño y no desear cosa de prosperidad en este mundo. Si te miras a ti, no podrás por ti cosa alguna de éstas; mas si confías en Dios, él te dará fortaleza celestial y hará que te obedezca el mundo y la carne, y no temerás al demonio si estuvieres armado de fe y señalado con la cruz de Cristo.

Disponte, pues, como bueno y fiel siervo de Cristo para llevar varonilmente la Cruz de tu Señor, crucificado por amor tuyo. Prepárate a sufrir muchas adversidades y diversas incomodidades en esta miserable vida, porque así estará contigo donde quiera que fueres y de verdad lo hallarás en cualquier parte donde te escondas. Así conviene, y no hay otro remedio para escapar de la tribulación de los males y del dolor, sino sufrir. Bebe con afecto el cáliz del Señor si quieres ser su amigo y tener parte con él. Remite a Dios las consolaciones y haga él con ellas lo que más le pluguiere. Pero tú disponte a sufrir las tribulaciones y estímalas por grandes consuelos; porque no son condignas las penalidades de este tiempo para merecer la gloria venidera, aunque tú solo pudieses sufrirlas todas.

Cuando llegares a punto que la aflicción te sea dulce y gustosa por amor de Cristo, piensa entonces que vas bien porque hallaste el paraíso en la tierra. Mientras te parezca penoso el padecer y procures huirlo, cree que vas mal, y donde quiera que fueres te seguirá el rastro de la tribulación.

Si te dispones para hacer lo que debes, conviene a saber, sufrir y morir, luego te irá mejor y hallarás paz. Y aunque fueres arrebatado hasta el tercer cielo con San Pablo, no estarás por eso seguro de no sufrir alguna contrariedad. *Yo*, dice Jesús, *te mostraré cuántas cosas le convendrá padecer por mi nombre*. Luego, sólo te queda el padecer, si quieres amar a Jesús y servirle siempre.

Pluguiese a Dios que fueses digno de padecer algo por el nombre de Jesús. ¡Cuán grande gloria se te daría! ¡Cuánta alegría causarías a todos los Santos de Dios! ¡Cuánta edificación sería para el prójimo!, pues todos alaban la paciencia, aunque pocos quieren padecer. Con razón debías sufrir algo de buena gana por Cristo, cuando hay tantos que sufren más graves cosas por el mundo.

Ten por cierto que te conviene morir viviendo; y que cuanto más muere cada uno a sí mismo, tanto más comienza a vivir a Dios. Ninguno es apto para comprender las cosas celestiales si no se aviene a sufrir las adversidades por Cristo. No hay cosa a Dios más acepta, ni para ti en este mundo más saludable, que padecer gustosamente por Cristo. Y si te diesen a escoger, más debías desear padecer cosas adversas por Cristo, que ser recreado de muchas consolaciones; porque en esto le serías más semejante, y más conforme a todos los santos. Pues no está nuestro merecimiento, ni la perfección de nuestro estado en disfrutar muchas suavidades y consuelo, sino en sufrir grandes penalidades y tribulaciones.

Porque si alguna cosa fuera mejor y más útil para la salvación de los hombres que el sufrir, Cristo lo hubiera declarado con su palabra y ejemplo; pues manifiestamente exhorta a sus discípulos, que lleven la Cruz y les dice: *Si alguno quisiere venir en pos de mí, niéguese a sí mismo, y tome su cruz, y sígame.* Así que, leídas y bien consideradas todas las cosas, sea ésta la conclusión: *Que por muchas tribulaciones nos es necesario entrar en el reino de Dios.*

LIBRO TERCERO

De la consolación interior

CAPÍTULO I

De la habla interior de Cristo al ánima fiel

Oiré lo que hablare el Señor Dios en mí. Bienaventurada el alma que oye al Señor que le habla interiormente, y de su boca recibe palabra de consolación. Bienaventurados los oídos que perciben lo sutil de las inspiraciones divinas y no se cuidan de las murmuraciones mundanas. Bienaventurados los oídos que escuchan, no la voz que oyen de fuera, sino la verdad que enseña adentro. Bienaventurados los ojos que cerrados a las cosas exteriores, están muy atentos a los interiores. Bienaventurados los que penetran las cosas interiores y procuran con ejercicios continuos prepararse cada día más y más a entender los secretos celestiales. Bienaventurados los que se alegran de entregarse a Dios, y se desembarazan de todo impedimento del mundo. ¡Oh alma mía! Considera muy bien esto, y cierra las puertas de tu sensualidad, porque puedas oír lo que el Señor tu Dios habla en ti.

Esto dice tu Amado: *Yo soy tu salud, tu paz y tu vida; consérvate en mí, y hallarás la paz.* Deja todas las cosas transitorias y busca las eternas. ¿Qué es todo lo temporal sino engañoso? ¿Y qué te ayudarán todas las criaturas si fueres desamparado del Criador? Por esto, dejadas todas las cosas, vuélvete amable y fiel a tu Criador, para que puedas alcanzar la verdadera bienaventuranza.

CAPÍTULO II

Cómo la verdad habla interiormente al alma sin ruido de palabras

Habla, Señor, porque tu siervo oye. Yo, soy tu siervo, dame entendimiento para que sepa tus verdades. Inclina mi corazón a las palabras de tu boca; descienda tu habla así como rocío. Decían en otro tiempo los hijos de Israel a Moisés: *Háblanos tú, y oirémoste; no nos hable el Señor, porque quizá moriremos.* No así, Señor, no te ruego así; mas con el profeta Samuel, con humildad y deseo te suplico: *Habla, Señor, porque tu siervo oye.* No me hable Moisés, ni alguno de los profetas; mas háblame tú, Señor Dios, inspirador e iluminador de todos los profetas; pues tú solo sin ellos me puedes enseñar perfectamente, pero ellos sin ti ninguna cosa aprovecharán.

Es verdad que pueden pronunciar palabras, mas no comunican espíritu. Muy bien hablan, mas callando tú no encienden el corazón. Dicen la letra, mas tú abres el sentido; predican misterios, mas tú aclaras la inteligencia de lo oculto; pronuncian mandamientos, pero tú ayudas a cumplirlos; muestran el camino, pero tú das esfuerzo para andarlo; ellos obran por afuera solamente, pero tú instruyes e iluminas los corazones; ellos riegan la superficie, mas tú das la fertilidad; ellos claman con palabras, mas tú das la inteligencia al oído.

Pues no me hable Moisés, sino tú, Señor Dios mío, eterna Verdad, para que por ventura no muera, y quede sin fruto si solamente fuere enseñado por afuera y no encendido por adentro. No me sea para condenación la palabra oída y no obrada, conocida y no amada, creída y no guardada. Habla pues tú, Señor, porque tu siervo oye, pues tienes palabras de vida eterna. Háblame, para consolación de mi alma, para la enmienda de toda mi vida, y para eterna honra y gloria tuya.

CAPÍTULO III

Las palabras de Dios se deben oír con humildad, y muchos no las estiman

Oye, hijo mío, mis palabras, palabras suavísimas, que exceden toda la ciencia de los filósofos y sabios del mundo. *Mis palabras son espíritu y vida*, y no se pueden examinar por el sentido humano. No se deben traer al sabor del paladar, mas se deben oír con silencio, y recibir con toda humildad y grande afecto.

Dijo David: *Bienaventurado es aquel a quien tú enseñares, Señor, y a quien mostrares tu ley, porque lo guardes de los días malos*, y no sea desamparado en la tierra.

Yo, dice el Señor, *enseñé a los profetas desde el principio*, y no ceso de hablar a todos hasta ahora, mas muchos son duros y sordos a mi voz. Muchos de mejor gana oyen al mundo que a Dios; más fácilmente siguen el apetito de su carne, que al beneplácito divino. El mundo promete cosas temporales y pequeñas, y con toso eso le sirven con gran ansia; yo prometo cosas grandes y eternas, y entorpécense los corazones de los mortales. ¿Quién me sirve a mí y me obedece en todo, con tanto cuidado como al mundo y a sus señores se sirve? *Avergüénzate, Sidón, dice el mar*. Y si preguntas la causa, oye el por qué. Por un pequeño beneficio andan los hombres largo camino, y por la vida eterna muchos con dificultad levantan el pie del suelo. Buscan los hombres viles ganancias; por una blanca pleitean a las veces vergonzosamente; por cosas vanas y por una corta promesa no temen fatigarse noche y día. Mas ¡oh dolor! que emperezan de fatigarse un poco por el bien que no se muda, por el galardón que es inestimable, y por la suma honra y gloria sin fin. Avergüénzate, siervo perezoso y quejoso de ver que aquellos se hallan más dispuestos para la perdición, que tú para la vida eterna. Alégranse ellos más por la vanidad, que tú por la verdad. Porque algunas veces les miente su esperanza; mas mi promesa a nadie engaña, ni deja frustrado al que confía en mí. Yo daré lo que tengo prometido. Y cumpliré lo que he dicho, si alguno perseverare fiel en mi amor hasta el fin. Yo soy galardonador de todos los buenos y rígido examinador de todos los devotos.

Escribe mis palabras en tu corazón, y considéralas con mucha diligencia, pues en el tiempo de la tentación las habrás menester. Lo que no entiendes cuando lees, lo conocerás en el día de la visitación. De dos maneras acostumbro visitar a mis escogidos; esto es, con la tentación y con el consuelo. Y dos lecciones les doy cada día, una reprendiendo sus vicios, otra exhortándolos al adelantamiento en la virtud. *El que tiene mis palabras y las desprecia, tiene quien le juzgue en el postrero día.*

ORACIÓN
Para pedir la gracia de la devoción

Señor Dios mío, tú eres todos mis bienes. ¿Quién soy yo para que me atreva a hablarte? Yo soy un pobrísimo siervo tuyo, un gusanillo despreciable, mucho más pobre y más digno de ser despreciado de lo que yo sé, y me atrevo a decir. Pero acuérdate, Señor, que soy nada, nada tengo, nada valgo. Tú solo eres bueno, justo y santo, tú lo puedes todo, tú lo das todo, tú lo llenas todo, sólo al pecador dejas vacío. *Acuérdate, Señor, de tus misericordias, y llena mi corazón de tu gracia*, pues no quieres que queden vacías tus obras.

¿Cómo me podré sufrir en esta miserable vida, si no me esfuerza tu misericordia y tu gracia? No me vuelvas el rostro, no dilates tu visitación, no me quites tu consuelo, *para que no sea mi alma como la tierra sin agua.* Señor, enséñame a hacer tu voluntad, enséñame a conversar delante de ti digna y humildemente, porque tú eres mi sabiduría, que en verdad me conoces, y me conociste antes que el mundo se hiciese, y antes que yo naciese en el mundo.

CAPÍTULO IV

Debemos conversar delante de Dios con verdad y humildad

Hijo, anda delante de mí en verdad, y búscame siempre con sencillo corazón. El que camina delante de mí en verdad, será defendido de malos encuentros, y la verdad le librará de los seductores, y de las murmuraciones de los inicuos. Si la verdad te librase serás verdaderamente libre, y no cuidarás de las palabras vanas de los hombres.

Señor, verdad es lo que dices, y así te suplico que lo hagas conmigo. Tu verdad me enseñe, y ella me guarde y me conserve hasta el fin saludable. Ella me libre de toda mala afición y todo amor desordenado, y así andaré contigo con gran libertad de corazón.

Yo te enseñaré, dice la Verdad, las cosas rectas y agradables a mí. Piensa en tus pecados con gran dolor y tristeza, y nunca te juzgues valer algo por tus buenas obras; que en verdad eres pecador, sujeto y enlazado en muchas pasiones. De ti siempre caminas a la nada, luego caes, luego eres vencido, presto te turbas y pronto desfalleces. No tienes cosa de que te puedas gloriar, y tienes muchas porque puedas envilecerte; porque más flaco eres de lo que puedes pensar.

Por eso no te parezca cosa grande alguna de cuantas haces. Nada tengas por grande, nada por cosa preciada ni maravillosa, nada estimes por digno de reputación, nada por elevado, nada por verdaderamente loable y apetecible, sino lo que es eterno. Agrádete sobre todas las cosas la eterna Verdad, y desagrádete siempre sobre todo tu gran bajeza. Nada temas, ni desprecies ni huyas tanto como tus faltas y pecados, los cuales deben entristecerte más que los daños de todas las cosas. Algunos no andan delante de mí sinceramente; pero con curiosidad y arrogancia quieren saber mis secretos, y entender las cosas altas de Dios, no cuidando de sí mismos, ni de su salvación. Estos caen con frecuencia en grandes tentaciones y pecados, por su soberbia y curiosidad; porque yo les soy contrario.

Teme los juicios de Dios, tiembla de la ira del Omnipotente, no quieras sondear las obras del Altísimo; mas escudriña tus maldades, en cuántas cosas pecaste y cuántas buenas obras dejaste de hacer por tu negligencia. Algunos reducen su devoción solamente en los libros, otros en las imágenes, otros en señales y figuras exteriores. Unos me traen en la boca, pero muy poco en el corazón. Hay otros, que iluminados en el entendimiento y purificados en el afecto, suspiran siempre por las cosas eternas, oyen con pena hablar de las terrenas y con dolor acuden a las necesidades de la naturaleza, y éstos sienten lo que habla en ellos el Espíritu de verdad, porque éste les enseña a despreciar lo terreno y amar lo celestial; aborrecer el mundo, y desear el cielo día y noche.

CAPÍTULO V

Del maravilloso efecto del Divino Amor

Bendígote, Padre celestial, Padre de mi Señor Jesucristo, que tuviste por bien acordarte de mí, pobre. ¡Oh Padre de las misericordias, y Dios de toda consolación! Gracias te doy porque a mí, indigno de todo consuelo, recreas algunas veces con tu consolación. Bendígote siempre, y glorifícote con tu Unigénito Hijo, y con el Espíritu Santo Consolador, por todos los siglos de los siglos. ¡Oh Señor Dios mío, Amador santo mío! Cuando tú vinieres a mi corazón, se alegrarán todas mis entrañas. Tú eres mi gloria y la alegría de mi corazón; tú eres mi esperanza y el refugio mío en el día de mi tribulación.

Mas porque aún soy débil en el amor, e imperfecto en la virtud, por eso tengo necesidad de ser fortalecido y consolado por ti. Por eso visítame, Señor, continuamente, e instrúyeme con santas doctrinas. Líbrame de mis malas pasiones y sana mi corazón de todos mis afectos desordenados; a fin de que sano y bien purificado en lo interior, sea apto para amarte, fuerte para sufrir y firme para perseverar.

Gran cosa es el amor y el mayor de todos los bienes. Él solo hace ligero todo lo pesado, y sufre con igualdad todo lo desigual, pues lleva la carga sin fatiga y hace dulce y sabroso todo lo amargo. El nobilísimo amor de Jesús nos anima a hacer grandes cosas y siempre nos mueve a desear lo más perfecto. El amor quiere estar en lo más alto, y no ser detenido en cosas bajas. El amor quiere ser libre y ajeno de toda afición mundana, para que no se impida su afecto interior, ni se embarace en ocupaciones de provecho temporal, ni caiga por algún daño o pérdida. No hay cosa más dulce que el amor, ni más fuerte, ni más alta, ni más espaciosa, ni más alegre, ni más cumplida ni mejor en el cielo ni en la tierra. Porque el amor nació de Dios y no puede descansar con nada de lo creado, sino con el mismo Dios.

El que ama vuela, corre, alégrase, es libre, y no es detenido; todas las cosas da por todo, y las tiene todas en todo, porque descansa en el único Sumo Bien sobre todas las cosas, del cual mana y procede todo bien. No mira a los dones, sino vuélvese al dador de ellos sobre todos los bienes. El amor muchas veces no sabe modo, mas se inflama sobre todo modo. El amor no siente carga, ni hace caso de los trabajos, antes desea más de lo que puede. No se queja que le manden lo imposible, porque cree que en Dios todo lo puede. Pues tiene poder para todo y muchas cosas ejecuta y pone por obra, en las cuales el que no ama desfallece y cae. El amor siempre vela, y durmiendo no se adormece, fatigado no se cansa, angustiado no se angustia, espantado no se espanta; sino que como viva llama y ardiente luz, sube a lo alto y se remonta con seguridad. Si alguno ama, conoce lo que dice esta voz: Gran clamor es en los oídos de Dios el abrasado afecto del alma que dice: Dios mío, Amor mío, tú eres todo mío, y yo todo tuyo.

Dilátame en el amor, para que aprenda a gustar en el fondo de mi corazón, cuán suave es amar y derretirse y nadar en el amor. Sea yo cautivo del amor, saliendo de mí por el gran fervor y admiración. Cante yo cantares de amor; sígate yo, Amado mío, a lo alto, y desfallezca mi alma en tu loor transportada de amor. Ámete yo más que a mí, y no me ame a mí sino por ti; y ame en ti a todos los que de verdad te aman, como manda la ley del amor, que sale de ti como un resplandor de tu Divinidad.

El amor es diligente, sincero, piadoso, alegre y ameno; fuerte, sufrido, fiel, prudente, constante, magnánimo, y nunca se busca a sí mismo, porque si alguno se busca a sí mismo, luego cae del amor. El amor es circunspecto, humilde y recto; no es regalado ni liviano, ni atiende a cosas vanas; es sobrio, firme, casto, tranquilo y recatado en todos sus sentidos. El amor es sumiso y obediente a los Prelados, y para sí mismo vil y despreciable; para con Dios devoto y agradecido, confiando y esperando siempre en él, aún en el tiempo cuando no le regala, porque ninguno vive en amor sin dolor.

El que no está dispuesto a sufrir todas las cosas y estar a la voluntad del amado, no es digno de llamarse amador. Conviene al que ama abrazar de buena voluntad por el amado todo lo duro y amargo, y no apartarse de él por cosa contraria que le acaezca.

CAPÍTULO VI

De la prueba del verdadero amor

Hijo, aún no eres fuerte y prudente amador.

¿Por qué Señor?

Porque a cualquier contradicción pequeña faltas en lo comenzado y buscas la consolación con mucha ansia. El constante amador está firme en las tentaciones y no cree las astucias engañosas del enemigo. Como yo le agrado en las prosperidades, así no le descontento en lo adverso.

El discreto amador, no considera tanto el don del que ama, cuanto el amor del que lo da; más mira a la voluntad que a la merced, y todas las dádivas pospone al amado. El amador noble no descansa en el don, sino en mí que soy sobre todo don. Por eso si alguna vez no gustas tan bien de mí o de mis santos como deseas, no por eso está ya todo perdido. Aquel tierno y dulce afecto que percibes algunas veces, obra es de la gracia presente, y como una pequeña participación de la patria celestial, sobre lo cual no debes apoyarte mucho, porque va y viene. Mas el pelear contra los malos movimientos del ánimo, y desechar las sugestiones del enemigo, señal es de virtud, y de gran merecimiento.

No te turben pues las imaginaciones extrañas de diversas materias que te ocurran. Guarda tu firme propósito con recta intención a Dios. No es extraño que de repente te arrebates alguna vez a lo alto, y luego te tornes a las distracciones acostumbradas del corazón, porque más las sufres contra tu voluntad que las causas; y mientras te dan penas y las contradices, mérito es y no pérdida.

Persuádete que el enemigo antiguo, de todos modos se esfuerza para impedir tu deseo en lo bueno, y privarte de todo ejercicio devoto, como es honrar a los Santos, la piadosa memoria de mi Pasión, la útil recordación de los pecados, la guarda del propio corazón y el firme propósito de aprovechar en la virtud. Te trae muchos pensamientos malos para causarte horror, y para desviarte de la oración y de la lección sagrada. Desagrádale mucho la humilde confesión; y si pudiese, haría que no comulgases. No le creas ni hagas caso de él aunque muchas veces te arme lazos. Cuando te trajere pensamientos malos y torpes, atribúyelo a él y dile: Vete de aquí, espíritu inmundo; avergüénzate, desventurado; muy inmundo eres, pues me traes tales cosas a la imaginación. Apártate de mí, malvado engañador, no tendrás parte alguna de mí, porque Jesús estará conmigo como invencible capitán y tú quedarás confuso. Más quiero morir y sufrir cualquier pena, que consentir contigo. Calla y enmudece; no te oiré más, aunque más me importunes. El Señor es mi luz y mi salud, ¿a quién temeré? Aunque se ponga contra mí un ejército, no temerá mi corazón. El Señor es mi ayudador y mi redentor.

Pelea como buen soldado; y si alguna vez cayeres por fragilidad, procura cobrar mayores fuerzas que las primeras, confiando de mayor favor mío, y guárdate mucho de la vana complacencia y de la soberbia. Por esto muchos están engañados y caen algunas veces en una ceguedad casi incurable. Séate aviso para perpetua humildad la caída de los soberbios, que locamente presumen de sí.

CAPÍTULO VII

Cómo se ha de ocultar la gracia bajo la humildad

Hijo, más útil y más seguro te es encubrir la gracia de la devoción, que no ensalzarte, ni hablar mucho de ella, ni ponderarla mucho; sino despreciarte a ti mismo, y temer, como dada a quien no la merece. No es bien apegarse demasiado a este tierno afecto, que tan pronto puede mudarse en lo contrario. Piensa cuando están en gracia, cuán miserable y pobre sueles ser sin ella. No está sólo la perfección de la vida espiritual en tener la gracia de la consolación; sino en que con humildad, negándote a ti mismo, lleves con paciencia que se te quite, de suerte que entonces no aflojes en el ejercicio de la oración, ni dejes las buenas obras que sueles practicar; mas como mejor pudieres y entendieres has de buena gana todo lo que esté de tu parte; ni por la sequedad o angustia que sientes, descuides del todo de ti mismo.

Porque hay muchos que cuando las cosas no les suceden bien, luego se impacientan, o aflojan en la virtud. Porque no está siempre en la mano del hombre su adelantamiento; mas a Dios pertenece el dar y consolar cuando quiere, cuanto quiere, y a quien quiere, como a él le agrada, y no más. Algunos indiscretos se destruyeron por la gracia de la devoción; porque quisieron hacer más de lo que pudieron, no mirando la medida de su pequeñez, siguiendo más el deseo de su corazón que el juicio de la razón. Y porque se atrevieron a mayores cosas que Dios quería, por esto perdieron la gracia, y se hicieron pobres, y quedaron viles los que pusieron en el cielo su nido, para que humillados y empobrecidos aprendan a no volar con sus alas, sino a esperar debajo de las mías. Los que todavía son nuevos y sin experiencia en el camino del Señor, si no se gobiernan por el consejo de discretos, fácilmente pueden ser engañados y venir a perderse.

Si quieren seguir más su parecer que creer a los experimentados, les será al cabo de gran peligro, si no quieren ceder de su propio juicio. Los que se tienen por sabios rara vez sufren con humildad ser corregidos. Mejor te es el tener poco, que mucho de donde te puedes ensoberbecer. No hace discretamente el que se da todo a la alegría, olvidándose de su pasada miseria y del casto temor del Señor, que teme perder la gracia concedida. Ni entiende mucho de virtud el que se desalienta en el tiempo de la adversidad o tribulación, y piensa y siente de mí con menos confianza de lo que conviene.

El que en tiempo de paz se juzgare demasiado seguro, muy caído y medroso se hallará en el tiempo del combate. Si supiese siempre permanecer humilde y pequeño a tus ojos y moderar y regir bien tu espíritu, no caerías tan presto en los peligros. Buen consejo es que pienses cuando están con fervor de espíritu, lo que puede venir apartándose aquella luz. Y cuando esto acaece, piensa que otra vez puede volver la misma luz; la cual yo te quité por algún tiempo para tu seguridad y gloria mía.

Más aprovecha muchas veces esta prueba, que si tuvieses de continuo a tu voluntad las cosas que deseas; porque los merecimientos no se han de calificar por tener muchas visiones o consolaciones, o porque sea uno entendido en la Escritura, o porque esté colocado en dignidad, sino en si fuere fundado en humildad verdadera, y lleno de la caridad divina; si pura y enteramente buscare siempre la honra de Dios; si se reputare a sí mismo por nada y verdaderamente se despreciare; y si se holgare de ser abatido y despreciado de otros, más que de ser honrado.

CAPÍTULO VIII

De la vil estimación de sí mismo a los ojos de Dios

¿Hablaré yo a mi Señor, siendo, como soy, polvo y ceniza? Si por más de esto me reputare, tú estás contra mí, y mis maldades dan de esto verdadero testimonio, y no puedo contradecirlo. Mas si reconociendo mi vileza, juzgare que soy nada, dejare toda propia estimación y me considerare polvo, como lo soy, me será tu gracia favorable, y tu luz se acercará a mi corazón, y toda estimación se hundirá en el abismo de mi nada y perecerá eternamente. Allí me mostrarás lo que soy, lo que fui, y a dónde vine a parar, porque soy nada y no lo conocí. Si soy dejado a mis fuerzas, todo soy nada, y todo flaqueza; pero si tú me mirares, luego seré fortificado y estaré lleno de nuevo gozo. Y es cosa maravillosa, por cierto, cómo tan de repente soy levantado sobre mí, y abrazado de ti con tanta benignidad, siendo así que yo, según mi propia pesadez, siempre soy inclinado a lo bajo.

Esto, Señor, hace tu amor; que sin méritos míos, me previene y me socorre en tantas necesidades, guardándome también de graves peligros, librándome, para decir verdad, de innumerables males. Porque yo me perdí amándome desordenadamente; pero buscándote a ti solo, y amándote puramente, hallé a mí y a ti, y por el amor me reduje más profundamente a mi nada; porque tú ¡oh dulcísimo Señor! haces conmigo mucho más de lo que merezco, y más de lo que me atrevo a esperar o pedir.

Bendito seas, Dios mío, que aunque soy indigno de todo bien, todavía tu suprema e infinita bondad nunca cesa de hacer bien aún a los desagradecidos, y a los que están muy lejos de ti. Conviértenos a ti, para que seamos agradecidos, humildes y devotos, pues tú eres nuestra salud, nuestra virtud y nuestra fortaleza.

CAPÍTULO IX

Todas las cosas deben referirse a Dios, como a último fin

Hijo, yo debo ser tu supremo y último fin, si deseas de veras ser bienaventurado. Con este propósito se purificará tu afecto, que malamente se inclina muchas veces a sí mismo y a las criaturas, porque si en algo te buscas a ti mismo, luego desfalleces y te secas. Pues atribuye todo lo bueno principalmente a mí, que soy el que te doy todos los bienes. Así considera cada cosa como venida del Soberano Bien, y por eso todas las cosas se deben reducir a mí, como a su propio principio.

De mí, como de fuente viva, sacan agua viva el pequeño y el grande, el pobre y el rico; y los que me sirven de buena voluntad recibirán gracia por gracia. Mas el que se quiera gloriar fuera de mí, o deleitarse en algún bien particular, no será confirmado en el verdadero gozo, ni se dilatará su corazón; sino que estará impedido y angustiado de muchas maneras. Por eso no te apropies a ti cosa buena, ni atribuyas a hombre alguno la virtud; más refiérelo todo a Dios, sin el cual nada tiene el hombre. Yo lo di todo, yo quiero todo recobrarlo; y con gran razón quiero se me den acciones de gracias.

Esta es la verdad con que se ahuyenta la vanagloria. Y si la gracia celestial y la caridad verdadera entrare en el alma, no habrá envidia alguna, ni contradicción del corazón, ni le ocupará el amor propio. La caridad de Dios lo vence todo, y dilata todas las fuerzas del alma. Si bien lo entiendes, en mí solo te has de gozar, en mí solo has de tener esperanza, porque ninguno es bueno, sino sólo Dios, el cual se ha de alabar sobre todas las cosas, y se ha de bendecir en todas ellas.

CAPÍTULO X

Despreciando el mundo, es dulce cosa servir a Dios

Otra vez hablaré, ahora, Señor, y no callaré; diré en los oídos de mi Dios, de mi Señor y de mi Rey que está en el cielo: *¡Oh Señor, cuán alta es la grandeza de tu dulzura, que reservaste para los que te temen!* Pues ¿qué serás para los que te aman? ¿Qué serás para los que te sirven de todo corazón? Verdaderamente es inefable la dulzura de tu contemplación, la cual das a los que te aman. En esto has mostrado singularmente la dulcedumbre de tu caridad, que cuando yo no era me criaste; y cuando andaba perdido lejos de ti, me tornaste a ti, para que te sirviese, y me mandaste que te amase.

¡Oh fuente perenne de amor! ¿qué diré de ti? ¿cómo podré olvidarme de ti, que te dignaste acordarte de mí, aún después que yo me perdí y perecí? Has usado con tu siervo, misericordia sobre toda esperanza, y sobre todo merecimiento le diste tu gracia y amistad. ¿Qué te daré yo por esta gracia? Porque no es dado a todos, que dejadas todas las cosas, renuncien al mundo y abracen la vida retirada. ¿Es gran cosa que yo te sirva, a quien toda criatura debe servir? No me debe parecer mucho servirte; antes me parece cosa grande y maravillosa, que tú te dignes recibirme por siervo, a mí tan pobre e indigno, y unirme con tus amados siervos.

Señor, todas las cosas que tengo y con que te sirvo, tuyas son. Mas en verdad, más me sirves tú a mí, que yo a ti. El cielo y la tierra que criaste para el servicio del hombre, están prontos para obedecerte, y hacen cada día todo lo que le mandaste; y esto poco es, pues aún los ángeles ordenaste para servir al hombre. Mas a todas estas cosas excede, que tú mismo te dignaste de servir al hombre, y le prometiste darte a ti mismo.

¿Qué te daré yo por tantos millares de beneficios? ¡Oh si pudiese yo servirte todos los días de mi vida! ¡Oh si pudiese solamente, siquiera un solo día, hacerte algún digno servicio! Verdaderamente tú sólo eres digno de todo servicio, de toda honra y de alabanza eterna. Verdaderamente tú sólo eres mi Señor, y yo miserable siervo tuyo, que estoy obligado a servirte con todas mis fuerzas, y nunca debo cansarme de alabarte. Así lo quiero, así lo deseo, y lo que me falta ruégote que tú lo completes.

Grande honra y gran gloria es servirte, y despreciar todas las cosas por ti. Por cierto grande gracia tendrán los que de toda voluntad se sujetaren a tu santísimo servicio. Hallarán la suavísima consolación del Espíritu Santo los que por amor tuyo despreciaren todo deleite carnal; y alcanzarán gran libertad de corazón los que entran por la senda estrecha por amor tuyo, y por él desechen todo cuidado mundano.

¡Oh agradable y muy alegre servidumbre del Altísimo, con la cual se hace el hombre verdaderamente libre y santo! ¡Oh sagrado estado del ejercicio religioso, que hace al hombre igual a los ángeles, grato a Dios, terrible a los demonios y recomendable a todos los fieles! ¡Oh ejercicio digno de ser abrazado, y siempre apetecido, con el cual se merece el Sumo Bien, y se adquiere el gozo que durará para siempre!

CAPÍTULO XI

Los deseos del corazón se deben examinar y moderar

Hijo, aún te conviene aprender muchas cosas que no has entendido bien.

Señor, ¿qué cosas son éstas?

Que pongas tu deseo totalmente en solo mi beneplácito, y no seas amador de ti mismo, sino afectuoso celador de mi voluntad. Los deseos te encienden muchas veces y te impelen con vehemencia; pero considera si te mueves más por mi honra, o por tu provecho. Si yo soy la causa, bien te contentarás de cualquier modo que yo lo ordenare; mas si algo tienes escondido de amor propio, mira que eso es lo que te impide y agrava.

Guárdate, pues, no confíes mucho en el deseo que tuviste sin consultarlo conmigo; porque puede ser que te arrepientas, y te descontente lo que primero te agradaba, y como cosa mejor con gran afecto deseaste. Porque no se ha de seguir luego cualquier deseo que parece bueno, ni tampoco se ha de huir a primera vista toda afición que aparece contraria. Conviene algunas veces usar de moderación, aún en los buenos ejercicios y deseos, porque no caigas por demasía en distracción del alma, ni causes escándalo a otro con tu indiscreción, o por la contradicción de algunos te turbes luego y deslices.

Otras veces conviene usar de fuerza, y contradecir varonilmente al apetito sensitivo, y no cuidar de lo que la carne quiere o no quiere; sino trabajar sobre todo porque esté sujeta al espíritu, aunque le pese. Y debe ser castigada y enfrenada hasta que esté pronta para todo lo bueno, y aprenda a contentarse con poco, holgarse con lo sencillo, y no murmurar contra cosa alguna que le fuere amarga.

CAPÍTULO XII

La paciencia y la lucha contra el apetito

Señor Dios, a lo que veo, la paciencia me es muy necesaria, porque en esta vida acaecen muchas adversidades; pues de cualquier suerte que yo ordenare mi paz, no puede estar mi vida sin batalla y sin dolor.

Así es, hijo; pero no quiero que busques tal paz, que carezcas de tentaciones, o que no sientas contrariedades, antes, cuando fueres ejercitado en diversas tribulaciones, y probado en muchas contrariedades, entonces piensa que has hallado la paz. Si dijeres que no puedes padecer mucho, ¿cómo sufrirás el fuego del Purgatorio? De dos trabajos, siempre se ha de escoger el menor. Por eso, para que puedas escapar de los tormentos eternos, procura sufrir con paciencia por Dios los males presentes. ¿Piensas tú que poco o nada sufren los hombres del mundo? Esto no lo hallarás ni aún en los muy regalados.

Pero dirás que tienen muchos deleites, y siguen sus apetitos, y por eso sienten poco el peso de sus tribulaciones.

Mas aunque fuese así, que tengan cuanto quisieren, dime, ¿cuánto les durará? Mira que los muy ricos en el siglo, desfallecerán como humo, y no quedará memoria de los gozos pasados, pues aún mientras viven no se huelgan en ellos sin amargura, congoja y miedo; porque de la misma cosa de que consiguen el deleite; de allí las más veces reciben la pena del dolor. Y justamente se hace con ellos; porque así como desordenadamente buscan y siguen los deleites, así los tengan con amargura y confusión. ¡Oh cuán breves son todos, cuán falsos!, ¡cuán desordenados y torpes! Mas, por estar privados de juicio y con gran ceguedad, no lo entienden; sino como animales brutos, por un poco de deleite de vida corruptible, caen en la muerte del alma. Por eso, hijo, no vayas tú tras tus desordenados apetitos; apártate de tu propia voluntad, deléitate en el Señor y él te dará lo que pidiere tu corazón.

Porque si quieres tener verdadero gozo y ser consolado por mí abundantísimamente, tu suerte y bendición estará en el desprecio de todas las cosas del mundo, y en cortar de ti todo deleite de acá abajo, y así se te dará copiosa consolación. Y cuando más te desviares de todo consuelo de las criaturas, tanto hallarás en mí más suaves y poderosas consolaciones; mas no las alcanzarás sin alguna pena, trabajo y pelea. La costumbre te será contraria; pero la vencerás con otra costumbre mejor. La carne resistirá; mas la enfrentarás con el fervor del espíritu. La serpiente antigua te instigará y provocará; pero con la oración huirá, y a más con un trabajo útil le cerrarás la puerta.

CAPÍTULO XIII

De la obediencia del súbdito humilde, a ejemplo de Cristo

Hijo, el que procura eximirse de la obediencia, el mismo se aparta de la gracia; y el que quiere tener cosas propias, pierde las comunes. El que no se sujeta voluntariamente y de buena gana a su superior, señal es que su carne aún no le obedece a él perfectamente, sino que muchas veces se rebela y murmura. Aprende, pues, a sujetarte pronto a tu superior si deseas tener tu carne sujeta, porque más presto se vence el enemigo exterior cuando el hombre interior no estuviere disipado. No hay enemigo más dañoso, ni peor para tu alma que tú mismo, si no estás de acuerdo con el espíritu. Necesario es que tengas un verdadero desprecio de ti mismo, si quieres vencer la carne y la sangre. Porque aún te amas desordenadamente, por eso temes sujetarte del todo a la voluntad de otros.

Pero ¿qué gran cosa es, que tú, polvo y nada, te sujetes al hombre por mi amor, cuando yo, Omnipotente y Altísimo, que crié todas las cosas de la nada, me sujeté al hombre humildemente por ti? Híceme el más humilde y más abatido de todos para que vencieses tu soberbia con mi humildad. Oh polvo, aprende a obedecer; tierra y lodo, aprende a humillarte y a postrarte a los pies de todos. Aprende a quebrantar tu voluntad y rendirte a toda sujeción.

Enójate contra ti mismo, y no sufras que viva en ti la presunción de soberbia; más hazte tan sujeto y pequeño, que puedan todos andar sobre ti y pisarte como el lodo de las calles. Hombre vano, ¿de qué te quejas? Pecador torpe, ¿qué podrás contradecir a quien te zahiere, pues tantas veces ofendiste a tu Criador, y muchas mereciste el infierno? Mas te perdoné, porque tu alma fue preciosa en mi acatamiento, para que conociese mi amor, y fueses siempre agradecido a mis beneficios, y te dieses continuamente a verdadera humildad y sujeción, y sufrieses con paciencia el propio desprecio.

CAPÍTULO XIV

Cómo se han de considerar los secretos juicios de Dios, porque no nos envanezcamos en lo bueno

Señor, tus juicios me asombran como un espantoso trueno, y hieren todos mis huesos, penetrados de temor y temblor, estremeciéndose de ellos mi alma. Estoy atónito, y considero que ni los cielos son limpios en tu presencia. Si en los ángeles hallaste maldad y no los perdonaste, ¿qué será de mí? Cayeron las estrellas del cielo; yo que soy polvo, ¿qué presumo? Aquéllos cuyas obras parecían muy dignas de alabanza, cayeron a lo bajo; y a los que comían pan de ángeles vi deleitarse con el manjar de animales inmundos.

No hay por tanto santidad, si tú, Señor, apartas tu mano. No aprovechará ninguna sabiduría, si tú dejas de gobernar.

No hay fortaleza que ayude, si tú dejas de conservar. No hay castidad segura, si tú no la defiendes. Ninguna propia guarda aprovecha, si nos falta tu sagrada vigilancia. Porque en dejándonos, luego nos vamos a fondo y perecemos; mas visitados por ti, nos levantamos y vivimos. Mudables somos, mas por ti estamos firmes; nos entibiamos, mas tú nos enfervorizas.

¡Oh cuán humilde y bajamente debo pensar de mí! ¡En cuán poco me debo tener, aunque parezca que tengo algo bueno en mí! ¡Oh Señor cuán profundamente me debo someter a tus insondables juicios, donde hallo no ser otra cosa, sino nada y pura nada! ¡Oh carga inmensa! ¡Oh piélago que no se puede nadar, donde no hallo otra cosa en mí sino ser nada en todo! ¿Pues dónde estará el escondrijo de la gloria? ¿Dónde la confianza en la virtud adquirida? Anégase toda vanagloria en la profundidad de tus juicios sobre mí.

¿Qué es toda carne en tu presencia? ¿Por ventura, podrá gloriarse el barro contra el que lo formó? ¿Cómo se puede engreír con vanas alabanzas aquél cuyo corazón está verdaderamente sujeto a Dios? Todo el mundo no enloquecerá al que tiene la verdad sujeto; ni se moverá por mucho que lo alaben el que tiene puesta toda su esperanza en Dios. Porque todos los que hablan son nada, pues fallecerán con el sonido de las palabras; *pero la verdad del Señor permanecerá para siempre.*

CAPÍTULO XV

Qué debe uno hacer y decir en todas las cosas que deseare

Hijo, di así en cualquier cosa: Señor, si te agradare, hágase esto así. Señor, si es honra tuya, hágase esto en tu nombre. Señor, si vieres que me conviene, y hallares serme provechoso, concédemelo, para que use de ello a honra tuya; mas si conocieres que me sería dañoso, y nada provechoso a la salvación de mi alma, aparta de mí tal deseo, porque no todo deseo procede del Espíritu Santo, aunque parezca justo y bueno al hombre. Dificultoso es juzgar si te induce buen espíritu o malo a desear esto o aquello, o si te mueve tu propio espíritu. Muchos han sido engañados al fin, que al principio parecía ser movidos por buen espíritu.

Por eso, sin verdadero temor de Dios y humildad de corazón, no debes desear, ni pedir cosa que al pensamiento se le ofreciere digna de desearse, y especialmente con entera resignación de la propia voluntad, remítelo todo a mí, y puedes decir: Oh Señor, tú sabes lo mejor, haz que se haga esto o aquello como más te agrade. Dame lo que quisieres, cuanto quisieres y cuando quisieres; haz conmigo como sabes, y como más te pluguiere y fuere mayor honra tuya. Ponme donde quisieres, y obra libremente conmigo en todas las cosas. Yo estoy en tu mano, vuélveme y revuélveme alrededor. Ve aquí tu siervo preparado para todo, porque no deseo, Señor, vivir para mí, sino para ti; quiera tu misericordia que viva digna y perfectamente.

ORACIÓN

Para pedir el cumplimiento de la voluntad de Dios

Concédeme, benignísimo Jesús, tu gracia para que esté conmigo, conmigo obre, y persevere conmigo hasta el fin. Dame que desee y quiera siempre lo que te es más agradable a ti. Tu voluntad sea la mía, y mi voluntad siga siempre la tuya, y se conforme en todo con ella. Tenga yo un mismo querer y no querer contigo; y no pueda ni no querer, sino lo que tú quieres y no quieres.

Dame, Señor, que muera a todo lo que hay en el mundo, y dame que ame por ti ser despreciado y olvidado en el mundo. Dame, sobre todo lo que puedo desear, descansar y aquietar mi corazón en ti. Tú eres la verdadera paz del corazón; tú su único descanso; fuera de ti todas las cosas son molestas y sin sosiego. En esta paz, esto es, en ti, único sumo y eterno Bien, dormiré y descansaré. Amén.

CAPÍTULO XVI

Sólo en Dios se debe buscar el verdadero consuelo

Cualquiera cosa que puedo desear o pensar para mi consuelo no la espero aquí, sino en la otra vida. Pues aunque yo sólo tuviese todos los gustos del mundo, y pudiese usar de todos sus deleites, cierto es que no podrían durar mucho. Así que, alma mía, tú no podrás estar consolada cumplidamente, ni perfectamente recrearte sino en Dios, que es consolador de los pobres y ampara los humildes.

Espera un poco alma mía, espera la promesa divina y tendrás abundancia de todos los bienes en el cielo. Si deseas desordenadamente estas cosas presentes, perderás las eternas y celestiales. Las temporales sean para usar, las celestiales para desear. No puedes quedar satisfecha de cosa temporal, porque no eres criada para gozar de lo caduco.

Aunque tengas todos los bienes criados, no puedes ser dichosa y bienaventurada; porque sólo en Dios, que crió todas las cosas, consiste tu bienaventuranza y tu felicidad; no la dicha que admiran y alaban los locos amadores del mundo, sino la que esperan los buenos y fieles siervos de Cristo, y algunas veces gozan los espirituales y limpios de corazón, cuya conversación está en los cielos. Vano es y breve todo consuelo humano. El bienaventurado y verdadero consuelo es aquél que interiormente da a sentir la verdad. El hombre devoto, en todo lugar lleva consigo a Jesús, su consolador, y le dice: Ayúdame, Señor Jesús, en todo lugar y tiempo. Tenga yo por gran consolación, el querer gustosamente carecer de todo humano consuelo, y si me faltare tu consolación, séame el sumo consuelo tu voluntad y tu justa prueba, pues no estarás perpetuamente airado, ni me amenazarás para siempre.

CAPÍTULO XVII

Todo nuestro cuidado se ha de poner en sólo Dios

Hijo, déjame hacer contigo lo que quiero. Yo sé lo que te conviene. Tú piensas como hombre y sientes en muchas cosas como te enseña el afecto humano. Señor, verdad es lo que dices, mayor es el cuidado que tú tienes de mí, que todo el cuidado que yo puedo poner en mirar por mí. Muy a peligro de caer está el que no pone todo su cuidado en ti, Señor, esté mi voluntad recta y firme en ti, y has de mí lo que quisieres, que no puede ser sino bueno todo lo que tú hicieres de mí.

Si quieres que esté en tinieblas, bendito seas; y si quieres que esté en luz, también seas bendito. Si te dignas consolarme, bendito seas; y si me quieres atribular, también seas bendito para siempre. Hijo, así debes hacer si quieres andar conmigo; tan pronto debes estar para padecer como para gozar. Tan de grado debes ser mendigo y pobre, como abundante y rico.

Señor, de muy buena gana padeceré por ti todo lo que quisieres que venga sobre mí. Sin diferencia quiero recibir de tu mano lo bueno y lo malo, lo dulce y lo amargo, lo alegre y lo triste, y te daré gracias por todo lo que me sucediere. Guárdame de todo pecado, y no temeré la muerte ni el infierno. Con que no me apartes de ti para siempre, ni me borres del libro de la vida, no me dañará cualquier tribulación que viniere sobre mí.

CAPÍTULO XVIII

Debemos llevar con igualdad de ánimo las miserias temporales a ejemplo de Cristo

Hijo, yo bajé del cielo por tu salud; tomé tus miserias, no por necesidad, sino por caridad, para que tú aprendieses la paciencia y sufrieses sin indignación las miserias temporales; porque desde la hora en que nací hasta mi muerte en la cruz no me faltaron dolores que sufrir. Yo tuve muchas faltas de las cosas temporales; oí muchas veces grandes quejas de mí; sufrí con mansedumbre confusiones y afrentas. Por los beneficios recibí ingratitudes; por los milagros oí blasfemias, y por la doctrina represiones.

Señor, ya que tú fuiste paciente en tu vida, cumpliendo principalmente en esto la voluntad de tu Padre, justo es que yo, miserable pecador, según tu voluntad me sufra con paciencia y lleve por mi salvación la carga de mi corruptible vida, hasta cuando quisieres; pues aunque la vida presente se siente ser pesada, se ha hecho ya por tu gracia muy meritoria, y más tolerable y esclarecida para los flacos, por tu ejemplo y el de tus santos; y aún de mucho más consuelo de lo que fue en tiempo pasado en la ley antigua, cuando estaba cerrada la puerta del cielo, y el camino parecía también más oscuro, cuando eran tan pocos los que cuidaban de buscar el reino de los cielos; pero ni aún los que entonces eran justos, y se habían de salvar, podían entrar en el reino celestial, antes de tu pasión y el sacrificio de tu muerte.

¡Oh cuántas gracias debo darte por haberte dignado mostrarme a mí y a todos los fieles, el camino recto y seguro para tu eterno reino! Porque tu vida es nuestro camino, y por la santa paciencia vamos a ti, que eres nuestra corona. Si tú no fueras delante y nos enseñaras, ¿quién cuidara de seguirte? ¡Ay, cuántos quedarían lejos y muy atrás, si no mirasen tus esclarecidos ejemplos! Y si aún estamos tibios, después de haber oído tantos milagros tuyos e instrucciones, ¿qué haríamos si no tuviésemos tanta luz para seguirte?

CAPÍTULO XIX

De la tolerancia de las injurias, y como se prueba el verdadero paciente

Hijo ¿qué es lo que dices? Cesa de quejarte, considerando mi Pasión y la de los santos. Aún no has resistido hasta derramar sangre. Poco es lo que padeces en comparación de aquellos que padecieron tanto, que fueron tan fuertemente tentados, tan gravemente atribulados, probados y ejercitados de tan diversos modos. Importa traer a tu memoria las graves penas de otros, para que más fácilmente sufras tus pequeños trabajos. Y si no te parecen pequeños, mira no lo cause esto tu impaciencia; pero sean grandes o pequeños, procura llevarlos todos con paciencia.

Cuanto más te dispones para padecer, tanto más cuerdamente obras y más mereces; y lo llevarás también más ligeramente teniendo el ánimo prevenido y preparado con la costumbre. Y no digas: No puedo sufrir esto de aquel hombre, ni es razón que yo sufra tales cosas, porque me injurió gravemente, y me imputa cosas que nunca pensé, mas de otro sufriré de grado todo lo que me pareciere que debe sufrirse. Indiscreto es tal modo de pensar, que no considera la virtud de la paciencia, ni quien la ha de galardonar, antes se ocupa de las personas y de las injurias que le han hecho.

No es verdadero paciente el que sólo sufre lo que quiere, y de quien quiere. El verdadero paciente no mira quién le persigue, si es su prelado, su igual o su inferior, o si es un varón bueno y santo, o un perverso e indigno; sino que sin diferencia de personas, cualquier daño, y todas cuantas veces le sucede cualquier adversidad, todo lo recibe de buena gana como de la mano de Dios, y lo estima por mucha ganancia, porque no hay cosa delante de Dios, por pequeña que sea, padecida por su amor, que quede sin galardón.

Pues prepárate a la batalla si quieres tener victoria. Sin pelear no podrás alcanzar la corona de la paciencia. Si no quieres padecer, rehúsas ser coronado; mas si deseas ser coronado, pelea varonilmente y sufre con paciencia. Sin trabajo no se consigue el descanso, y sin pelear no se puede obtener la victoria.

¡Oh Señor! hazme posible por tu gracia lo que me parece imposible por la naturaleza. Tú sabes cuán poco puedo padecer, y que luego desfallezco a la más leve contradicción. Séame por tu nombre, amable y apetecible cualquier ejercicio de tribulación; porque padecer y ser atormentado por ti, es muy saludable para mi alma.

CAPÍTULO XX

De la confesión de la propia flaqueza, y de las miserias de esta vida

Confesaré mi injusticia contra mí, a ti, Señor, confesaré mi flaqueza. Pequeña cosa es muchas veces la que me abate y entristece. Propongo de pelear varonilmente, mas viniendo una pequeña tentación siento gran angustia. Muy vil cosa es a veces de donde me proviene grave tentación. Y cuando me juzgo por algo seguro, y temo menos, me hallo algunas veces casi vencido de un leve soplo.

Mira, pues, Señor, mi humildad y mi fragilidad, que te es bien conocida. Ten misericordia de mí y sácame del lodo, porque no sea en él atollado, y quede abatido de todo. Esto es lo que frecuentemente me encoge y confunde delante de ti, el ser tan deleznable y flaco para resistir las pasiones. Y cuando no me lleve del todo al consentimiento, me ofende y molesta mucho su persecución, y estoy muy descontento de vivir cada día en este combate. De aquí conozco yo mi flaqueza, pues las abominables imaginaciones más fácilmente vienen sobre mí, que se van.

Pluguiese a ti, fortísimo Dios de Israel, celador de las almas fieles, de mirar ya el trabajo y dolor de tu siervo, y asistirle en todo donde quiera que fuere. Esfuérzame con fortaleza celestial, de modo que no prevalezca ni el hombre viejo, ni la carne miserable, aún no bien sujeta al espíritu, contra la cual conviene pelear mientras que vivimos en esta vida llena de miserias. ¡Ay! que tal es esta vida, donde nunca faltan tribulaciones y desgracias, y donde todo está lleno de lazos y de enemigos. Porque faltando una tribulación viene otra, y aún antes que se acabe el primer combate, sobrevienen otros muchos e inesperados.

¿Y cómo puede ser amada una vida llena de tantas amarguras, sujeta a tantas calamidades y miserias? ¿Cómo aún se puede llamar vida la que engendra tantas muertes y pestes? Y con esto vemos que es amada, y de muchos buscada para deleitarse en ella. Muchas veces decimos del mundo que es engañoso y vano; mas no se deja fácilmente, porque los apetitos sensuales nos dominan demasiado. Unas cosas nos incitan a amar al mundo, y otras a despreciarlo. Nos incitan la sensualidad, la codicia y la soberbia de la vida; pero las penas y miserias que se siguen de estas cosas, causan aversión y enfado.

¡Mas ay! que vence el deleite desordenado al alma que está entregada al mundo, y tiene por delicia estar sujeta a los sentidos, porque no ha visto ni gustado la suavidad de Dios, ni el interior gozo de la virtud. Mas los que perfectamente desprecian al mundo, y estudian servir a Dios en una santa observancia, saben que está prometida la divina dulzura a los que con verdad se renunciaren; y ven con más claridad cuán gravemente yerra el mundo, y de cuántas maneras se engaña.

CAPÍTULO XXI

Sólo se ha de descansar en Dios sobre todas las cosas

Alma mía, descansa siempre en Dios, sobre todas y en todas las cosas, porque él es el eterno descanso de los santos. Concédeme tú, dulcísimo y amantísimo Jesús, descansar en ti sobre todas las cosas criadas; sobre toda salud y hermosura; sobre toda gloria y honor; sobre toda potencia y dignidad; sobre toda ciencia y sutileza; sobre todas las riquezas y artes; sobre toda alegría y gozo; sobre toda fama y loor; sobre toda suavidad y consolación; sobre toda esperanza y promesa; sobre todo merecimiento y deseo; sobre todos los dones y dádivas que puedes dar e infundir; sobre todo el gozo y dulzura que el alma puede recibir y sentir; y en fin, sobre todos los ángeles y arcángeles y sobre todo el ejército del cielo; sobre todo lo invisible e invisible; y sobre todo lo que tú, Dios mío, no eres.

Porque tú, Señor Dios mío, eres bueno sobre todo; tú sólo altísimo; tú sólo potentísimo; tú sólo suficientísimo y plenísimo; tú sólo suavísimo y agradable; tú sólo hermosísimo y amantísimo; tú sólo nobilísimo y gloriosísimo sobre todas las cosas, en quien están todos los bienes perfectamente juntos, estuvieron y estarán. Por eso es poco y no me satisface cualquier cosa que me das fuera de ti, o revelas o prometes de ti mismo, si no puedo verte ni poseerte cumplidamente; porque no puede mi corazón descansar verdaderamente ni contentarse del todo, si no descansa en ti, y no se eleva sobre todo lo criado.

¡Oh amantísimo esposo, mío Jesucristo, amador purísimo, Señor de todas las criaturas! ¿Quién me dará alas de verdadera libertad para volar y descansar en ti? ¿Cuándo me será concedido ocuparme en ti cumplidamente y ver cuán suave eres, Señor Dios mío? ¿Cuándo me recogeré del todo en ti, que no me sienta a mí por tu amor, sino a ti sólo sobre todo sentido y modo, y de un modo no manifiesto a todos? Pero ahora muchas veces doy gemidos y sufro con dolor mi infelicidad; porque me acaecen muchos males en este valle de miserias los cuales me turban a menudo, me entristecen y ofuscan; muchas veces me impiden y distraen, me halagan y embarazan, porque no tenga libre la entrada a ti, y no goce de los suaves abrazos, que sin impedimento gozan los espíritus bienaventurados. Muévante mis suspiros, y la grande desolación que hay sobre la tierra.

¡Oh Jesús resplandor de la eterna gloria, consolación del alma que anda peregrinando! Delante de ti están mi boca sin voz, y mi silencio te habla. ¿Hasta cuando tarda en venir mi Señor? Venga a mí, pobrecito suyo, y lléneme de alegría. Extienda su mano, y líbreme a mí, miserable, de toda angustia. Ven, ven, que sin ti ningún día, ni hora estaré alegre; porque tú eres mi gozo, y sin ti está vacía mi mesa. Miserable soy, y como encarcelado y preso con grillos, hasta que tú me reanimes con la luz de tu presencia, y me pongas en libertad y muestres tu amable rostro.

Busquen otros lo que quisieren en lugar de ti, que a mí ninguno otra cosa me agrada sino tú, Dios mío, esperanza mía y salud eterna. No callaré, ni cesaré de clamar a ti, hasta que tu gracia vuelva, y tú me hables en lo interior diciendo:

Mira; aquí estoy, me ves ya aquí, pues me llamaste. Tus lágrimas y el deseo de tu alma, y tu humillación y la contrición de tu corazón me han inclinado y traído a ti.

Y yo dije: Señor, yo te llamé y deseé gozarte; preparado estoy a menospreciar todas las cosas por ti; pero tú primero me excitaste para que te buscase. Bendito seas, Señor, que hiciste con tu siervo este beneficio, según la muchedumbre de tu misericordia. ¿Qué más tiene que decir tu siervo delante de ti, sino humillarse mucho en tu acatamiento, acordándose siempre de su propia maldad y vileza? Porque no hay cosa semejante a ti en todas las maravillas del cielo y de la tierra. Tus obras son perfectísimas, tus juicios verdaderos, y por tu providencia se gobiernan todas las cosas. Por eso toda alabanza y gloria sea a ti, ¡oh Sabiduría del Padre! A ti alabe y bendiga mi boca, mi alma, y juntamente todo lo creado.

CAPÍTULO XXII

De la memoria de los innumerables beneficios de Dios

Abre, Señor, mi corazón acerca de la ley, y enséñame a andar en tus mandamientos. Concédeme que conozca tu voluntad, y que con gran reverencia y entera consideración traiga a la memoria tus beneficios, así generales como especiales, para que pueda de aquí adelante darte dignamente las debidas gracias. Mas yo sé, y lo confieso, que ni aún del más pequeño de tus beneficios puedo darte las alabanzas y gracias que debo. Yo soy menor que todos los bienes que me has hecho; y cuando considero tu nobilísimo Ser, desfallece mi espíritu por su grandeza.

Todo lo que tenemos en el alma y en el cuerpo, y cuantas cosas poseemos en lo interior o en lo exterior, natural o sobrenaturalmente, son beneficios tuyos y te engrandecen a ti, como bienhechor piadoso y bueno, de quien recibimos todos los bienes. Y aunque uno reciba más y otro menos, todo es tuyo, y sin ti no se puede alcanzar la menor cosa. El que más recibe no puede gloriarse de su merecimiento, ni estimarse sobre los demás, ni desdeñar al que recibió menos; porque es mayor y mejor aquél que menos se atribuye a sí mismo, y es más humilde, devoto, y agradecido. Y el que se tiene por más vil que todos y se juzga por más indigno, está más dispuesto para recibir mayores dones.

Mas el que recibió menos, no se debe entristecer ni indignarse, ni tener envidia del que tiene más, antes debe atender a ti y engrandecer sobremanera tu bondad ya que tan copiosa, tan gratuita y liberalmente repartes tus beneficios sin acepción de personas. Todas las cosas proceden de ti, y por eso en todo debes ser alabado. Tú sabes lo que conviene darse a cada uno. Y por qué tiene uno menos y otro más, no toca a nosotros discernirlo, sino a ti, que sabes determinadamente los merecimientos de cada uno.

Por eso, Señor Dios, tengo también por gran beneficio no tener muchas cosas de las cuales me alaben y honren los hombres; de modo que cualquiera que considere la pobreza y vileza de su persona, no sólo no recibirá agravio, ni tristeza, ni abatimiento, sino consuelo y gran alegría; porque tú, Dios, escogiste para familiares y domésticos a los pobres, humildes y menospreciados de este mundo. Testigos son de esto tus Apóstoles, los cuales constituiste príncipes sobre toda la tierra. Mas se conservaron en el mundo tan sin queja, y fueron tan humildes y sencillos, viviendo tan sin malicia ni engaño, que se gozaban en sufrir injurias por tu nombre y abrazaban con gran afecto lo que el mundo aborrece.

Por eso ninguna cosa debe alegrar tanto al que te ama y reconoce tus beneficios, como tu santa voluntad y el beneplácito de tu eterna disposición; lo cual le ha de contentar y consolar de manera que quiera tan de grado ser el menor de todos, como desearía otro ser el mayor; y tan pacífico y contento debe estar en el más bajo lugar como en el primero; y tan de buena gana llevar verse despreciado y abatido, y no tener nombre ni fama, como si fuese el más honrado y mayor del mundo; porque tu voluntad y el amor de tu honra han de ser sobre todas las cosas; y más se debe consolar y contentar con esto, que con todos los beneficios recibidos, o que puede recibir.

CAPÍTULO XXIII

Cuatro cosas que causan gran paz

Hijo, ahora te enseñaré, el camino de la paz, y de la verdadera libertad.

Señor, haz lo que dices, que mucho me huelgo de oírlo.

Hijo, procura hacer antes la voluntad de otro que la tuya. Escoge siempre tener menos que más. Busca siempre el lugar más inferior, y está sujeto a todos. Desea siempre y pide a Dios, que se cumpla en ti enteramente su divina voluntad. Este tal entrará en los términos de la paz y del descanso.

Señor, éste tu breve sermón, contiene en sí muchas perfección, pequeño es en las palabras, mas lleno de sentido y de copioso fruto. Que si lo pudiese yo fielmente guardar, no había de turbarme con tanta facilidad; porque cuantas veces me siento desasosegado y pesado, hallo que me he apartado de esta doctrina. Mas tú que puedes todas las cosas, y deseas siempre el provecho del alma, acrecienta en mí mayor gracia, para que pueda cumplir tu palabra, y conseguir mi salvación.

ORACIÓN

Contra los malos pensamientos

Señor Dios mío, no te alejes de mí. Dios mío, cuida de ayudarme, que se han levantado contra mí varios pensamientos y grandes temores que afligen mi alma: ¿Cómo los pasaré sin daño? ¿Cómo los desecharé?

Yo iré, dice Dios, delante de ti, y humillaré los poderosos de la tierra. Abriré las puertas de la cárcel y te revelaré los secretos de las cosas escondidas.

Hazlo así, Señor, como lo dices, y huyan de tu presencia todos los malos pensamientos. Ésta es mi esperanza y singular consolación, acudir a ti en cualquier tribulación mía, confiar en ti, llamarte con todas mis entrañas, y esperar con paciencia tu consuelo.

ORACIÓN

Para iluminar el entendimiento

Alúmbrame, buen Jesús, con la claridad de tu luz interior, y quita de la morada de mi corazón todas las tinieblas. Refrena mis muchas distracciones, y destruye las tentaciones que me hacen violencia. Pelea fuertemente por mí, y ahuyenta las malas bestias, que son los apetitos halagüeños, para que se haga paz en tu virtud, y la abundancia de tu alabanza esté en el santuario, esto es, en la conciencia limpia. Manda a los vientos y a las tempestades, di al mar que sosiegue, y al aquilón que no sople, y todo se convertirá en gran bonanza.

Envía tu luz y tu verdad para que resplandezcan sobre la tierra, porque soy tierra vana y vacía hasta que tú me ilumines. Derrama de lo alto tu gracia; baña mi corazón con el rocío celestial; suministra las aguas de la devoción para regar la faz de la tierra, para que produzca fruto bueno y perfecto. Levanta el alma oprimida con el peso de sus pecados, y eleva todo mi deseo a las cosas del cielo; porque después de gustada la suavidad de la felicidad celestial, me desdeñe de pensar en las cosas de la tierra.

Apártame y líbrame de toda transitoria consolación de las criaturas; porque ninguna cosa creada basta para aquietar y consolar cumplidamente mi deseo. Úneme a ti con el inseparable vínculo del amor, porque sólo tú bastas para el que te ama, y sin ti todas las cosas son despreciables.

CAPÍTULO XXIV

Cómo se ha de evitar la curiosidad de saber vidas ajenas

Hijo, no quieras ser curioso, ni tener cuidados impertinentes. ¿Qué te va a ti de esto o de lo otro? Tú sígueme a mí. ¿Qué te va a ti que aquél sea tal o cual, o que el otro obre o hable de ésta o de otra manera? Tú no necesitas responder por otros; de ti solo has de dar razón. ¿Pues por qué te entremetes tanto? Mira que yo conozco a todos, veo cuanto se hace debajo del sol, y sé de qué manera está cada uno; lo que piensa, lo que quiere, y a qué fin se dirige su intención. Por eso se deben encomendar a mí todas las cosas; mas tú consérvate en santa paz, y deja al bullicioso hacer cuanto quisiere; sobre él vendrá lo que hiciere o dijere, porque no me puede engañar.

No tengas cuidado de la sombra de un gran nombre, ni de la familiaridad de muchos, ni del amor particular de los hombres, porque esto causa grandes distracciones y tinieblas en el corazón. De buena gana te hablaría mi palabra y te revelaría mis secretos, si tú aguardases con ansia mi venida y me abrieses la puerta del corazón. Mira que estés sobre aviso, vela en la oración y humíllate en todas las cosas.

CAPÍTULO XXV

En qué consiste la paz firme del corazón, y el verdadero aprovechamiento

Hijo mío, yo dije: La paz os dejo, mi paz os doy, y no os la doy como el mundo la da. Todos desean la paz; mas no todos tienen cuidado de lo que pertenece a la verdadera paz. Mi paz está con los humildes y mansos de corazón. Tu paz estará en la mucha paciencia. Si me oyeres y siguieres mi voz, podrás gozar de mucha paz.

¿Qué haré, pues, Señor?

Mira en todas las cosas a lo que haces y a lo que dices, y dirige toda tu intención a este fin, que me agrades a mí solo y no desees ni busques cosa alguna fuera de mí. Ni tampoco juzgues temerariamente de los hechos o dichos ajenos, ni te entremetas en lo que no te han encomendado; con esto podrá ser que poco o rara vez te turbes. Nunca sentir alguna turbación, ni sufrir alguna fatiga en el corazón ni en el cuerpo, no es de este mundo, sino del estado de la bienaventuranza. Por eso no creas que has hallado la verdadera paz porque no sintieres alguna pesadumbre, ni que ya todo sea bueno si no tienes ningún adversario; ni está la perfección en que todo te suceda según tú quieres. Ni entonces te reputes ser algo, o digno de amor, si experimentares gran devoción y dulzura; porque en estas cosas no se conoce el verdadero amador de la virtud, ni consiste en ellas el aprovechamiento y perfección del hombre.

¿Pues en qué, Señor?

En ofrecerte de todo corazón a la divina voluntad, no buscando tu propio interés, ni en lo pequeño ni en lo grande, ni en lo temporal ni en lo eterno; de manera que con ánimo igual des gracias a Dios en las cosas prósperas y adversas, pesándolo todo con justa balanza. Si fueres tan fuerte y sufrido en la esperanza, que quitándote la consolación interior, aún esté dispuesto tu corazón para sufrir cosas mayores, y no te justificares diciendo que no debías padecer tales ni tantas cosas, sino que me tuvieres por justo, y me alabares por santo en todo lo que yo ordenare, entonces andas por el camino verdadero y recto de la paz y podrás tener esperanza cierta que verás mi rostro otra vez con alegría. Y si llegares a menospreciarte del todo a ti mismo, sábete que entonces gozarás abundancia de paz, según la posibilidad de esta peregrinación.

CAPÍTULO XXVI

De la excelencia del ánima libre, la cual se merece más por la humilde oración que por la lectura

Señor, ésta es obra de varón perfecto, nunca aflojar la intención de las cosas celestiales, y entre muchos cuidados pasar casi sin cuidado; no de la manera que suelen descuidar algunos por tibieza o flojedad, sino por la excelencia de una alma libre, sin tener ningún desordenado afecto a criatura alguna.

Ruégote, piadosísimo Dios mío, que me apartes de los cuidados de esta vida, para que no me embaracen las muchas necesidades del cuerpo, ni me cautive el deleite; presérvame asimismo de los muchos impedimentos del alma, para que no caiga quebrantado con tantas molestias. No hablo de las cosas que la vanidad mundana desea con tanto afecto, sino de aquellas miserias que gravemente afligen al alma de tu siervo, con la común maldición de mortalidad, y la detienen para que no pueda entrar en la libertad del espíritu cuantas veces quisiere.

¡Oh Dios mío, dulzura inefable! conviérteme en amargura todo consuelo carnal que me aparta del amor de lo eterno, y me atrae a sí para perderme con sola la apariencia de algún bien que momentáneamente deleita. No me venza, Dios mío, no me venza la carne y la sangre, no me engañe el mundo y su gloria fugaz, no me derive el demonio y su astucia. Dame fortaleza para resistir, paciencia para sufrir, constancia para perseverar. Dame por todas las consolaciones del mundo la suavísima unción de tu Espíritu; y por el amor carnal infunde en mi alma el amor de tu santo nombre.

Muy penoso es al alma fervorosa el comer, el beber, el vestir y todo lo demás que pertenece al sustento del cuerpo: concédeme usar de todo lo necesario templadamente, y que no me ocupe de ello con sobrado afán. No es lícito dejarlo todo, porque se ha de sustentar la naturaleza, mas buscar lo superfluo y lo que más deleita, la ley santa lo prohíbe; porque de otra suerte la carne se levantaría contra el espíritu. Ruégote, Señor, que me dirija y enseñe tu mano en estas cosas, para que no me exceda en ellas.

CAPÍTULO XXVII

El amor propio nos estorba mucho el bien eterno

Hijo, conviene darlo todo por todo y no ser nada en ti mismo. Sabe que el amor propio te daña más que todo el mundo. Cuanto es el amor y afición que tienes, tanto se te apegarán las cosas más o menos. Si tu amor fuere puro, sencillo y bien ordenado, estarás libre de todas las cosas. No codicies lo que no te es lícito tener, ni quieras tener lo que te pueda impedir y quitar la libertad interior. Maravilla es que no te encomiendes a mí de lo más profundo de tu corazón, con todo lo que puedes tener o desear.

¿Por qué te consumes con vana tristeza? ¿Por qué te fatigas con superfluos cuidados? Está a mi voluntad y no sentirás daño alguno. Si buscas esto o aquello y quisieres estar aquí o allí por tu provecho y propia voluntad, nunca tendrás quietud ni estarás libre de cuidados; porque en todas las cosas hallarás algún defecto, y en cada lugar habrá quien te ofenda.

Y así, no cualquier cosa alcanzada o multiplicada exteriormente aprovecha, sino la despreciada y arrancada de raíz del corazón. No entiendas eso solamente de la posesión de dinero y de riquezas, sino también de la ambición de honores y deseo de vanagloria, todo lo cual pasa con el mundo. Poco hace el lugar si falta el verdadero fundamento y la virtud del corazón; quiero decir, si no estuvieres en mí. Bien te puedes mudar, mas no mejorar, porque llegando la ocasión y aceptándola hallarás lo mismo que huías, y aún mucho más.

ORACIÓN
Para pedir la purificación del corazón y la sabiduría celestial

Confírmame, Señor Dios, por la gracia del Espíritu Santo. dame virtud para fortalecer al hombre interior y desocupar mi corazón de toda inútil solicitud y congoja, para que no me lleven tras sí tan varios deseos por cualquier cosa ya vil, ya preciosa sino que las mire todas como transitorias; y a mí mismo, que pasaré con ellas. Porque no hay cosa que permanezca debajo del sol, adonde todo es vanidad y aflicción de espíritu. ¡Oh cuán sabio es el que así piensa!

Concédeme, Señor, la sabiduría celestial para que aprenda a buscarte y hallarte sobre todas las cosas, gustarte y amarte sobre todo, y entender todo lo demás como es, según la orden de tu sabiduría. Concédeme prudencia para desviarme del lisonjero y sufrir con paciencia al adversario; porque ésta es muy gran sabiduría, no moverse por todo viento de palabras, ni dar oídos a la sirena que perniciosamente halaga, porque así se prosigue con seguridad el camino comenzado.

CAPÍTULO XXVIII

Contra las lenguas de los maldicientes

Hijo, no te enojes si algunos tuvieren mala opinión de ti, y no te dijeren lo que no querías oír. Tú debes sentir de ti lo peor, y tenerte por el más flaco de todos. Si andas dentro de ti, no harás mucho caso de palabras que se lleva el viento. Gran discreción es callar en tiempo contrario, y convertirse a mí de corazón, y no turbarse por el juicio humano.

No sea tu paz en la boca de los hombres, que si pensaren bien o mal de ti, no serás por eso diferente del que eres. ¿Adónde está la verdadera paz y la verdadera gloria sino en mí? El que no desea contentar a los hombres, ni teme desagradarlos, gozará de mucha paz. Del desordenado amor y del vano temor nace todo desasosiego del corazón y toda distracción de los sentidos.

CAPÍTULO XXIX

Cómo debemos rogar a Dios y bendecirle en el tiempo de la tribulación

Señor, sea tu nombre para siempre bendito, que quisiste que viniese sobre mí esta tentación y trabajo. No puedo huirla; mas tengo necesidad de recurrir a ti para que me ayudes y la conviertas en mi provecho. Señor, ahora estoy atribulado y no le va bien a mi corazón; atorméntame mucho esta pasión. Y ahora, Padre amado, ¿qué diré? Estoy rodeado de angustias. Sálvame de esta hora, adonde he llegado para que seas tú glorificado, cuando yo estuviere muy humillado y fuese socorrido por ti. Pléguete, Señor, de librarme; porque yo, pobre, ¿qué puedo hacer, y adónde iré sin ti? Dame paciencia, Señor, también esta vez. Ayúdame, Dios mío, y no temeré por más atribulado que me halle.

Y ahora entre estas congojas, ¿qué diré Señor? Que se haga tu voluntad. Yo bien merecido tengo ser atribulado y angustiado. Aún me conviene sufrir, y ojalá sufra con paciencia hasta que pase la tempestad y haya bonanza. Poderosa es tu mano omnipotente para quitar de mí esta tentación y amansar su furor, porque del todo no caiga; así como antes lo has hechos muchas veces conmigo, Dios mío, misericordia mía. Y cuanto a mí es más dificultoso, tanto es a ti más fácil esta mudanza de la diestra del Excelso.

CAPÍTULO XXX

Cómo se ha de pedir el auxilio divino, y de la confianza de recobrar la gracia

Hijo, yo soy el Señor que conforta en el día de la tribulación. Ven a mí cuando no te hallares bien. Lo que más impide la consolación celestial es que demasiado tarde vuelves a la oración; porque antes que estés delante de mí con atención, buscas muchas consolaciones y te recreas en las cosas exteriores. De aquí viene que todo te aprovecha poco hasta que conozcas que yo soy el que salvo a los que esperan en mí; y fuera de mí no hay ayuda que valga, ni consejo provechoso, ni remedio durable. Mas cobrado aliento después de la tempestad, esfuérzate con la luz de las misericordias mías; porque cerca estoy, dice el Señor, para reparar todo lo perdido, no sólo cumplida, mas abundante y colmadamente.

¿Por ventura, hay cosa alguna difícil para mí? ¿O seré yo como el que dice y no hace? ¿Adónde está tu fe? Está firme y persevera; está firme y perseverante; el consuelo a su tiempo vendrá. Espérame, espera, yo vendré y te curaré. La tentación es la que te atormenta, y el vano temor el que te espanta. ¿Qué aprovecha tener cuidado de lo que está por venir, sino para tener tristeza sobre tristeza? Bástale al día su trabajo. Vana cosa es y sin provecho, entristecerse o alegrarse de lo venidero, que quizá nunca acaecerá.

Cosa humana es ser engañado con tales ilusiones; y también es señal de poco ánimo dejarse burlar tan ligeramente del enemigo; el cual no se cuida de que sea verdadero o falso aquello con lo que nos burla o engaña, o si nos derribará con el amor de lo presente, o con el temor de lo porvenir. No se turbe pues tu corazón, ni tema; cree en mí, y ten mucha confianza en mi misericordia. Cuando tú piensas estar más lejos de mí, estoy yo muchas veces más cerca de ti. Y cuando tú piensas que está todo casi perdido, entonces muchas veces está cerca la ganancia del merecer. No está todo perdido cuando alguna cosa te sucede contraria. No debes juzgar según lo que sientes al presente, ni acongojarte con cualquier contrariedad de cualquier parte que venga, ni considerarla tal como si no hubiese esperanza de remedio.

No te tengas por desamparado del todo, aunque te envíe a tiempos alguna tribulación, o te prive del consuelo que deseas; porque de este modo se pasa al reino de los cielos. Y esto sin duda te conviene más a ti y a todos mis siervos, que se ejerciten en adversidades, que si todo sucediese a su gusto y sabor. Yo conozco los pensamientos ocultos, y que conviene para tu salvación que algunas veces te deje sin consolación; porque podía ser que alguna vez te ensoberbecieses en lo que te sucediese bien y te complacieses en ti mismo en lo que no eres. Lo que yo te di, te lo puedo quitar, y volvértelo cuando quisiere.

Cuando te lo diere, mío es; cuando te lo quitare, no tomo cosa tuya, porque mía es cualquier dádiva buena, y mío todo don perfecto. Si te enviare alguna pesadumbre o cualquier contrariedad, no te indignes y descaezca tu corazón, porque te puedo yo levantar al momento y mudar cualquier pena en gozo. Justo soy, y muy digno de ser alabado cuando lo hago así contigo.

Si juzgas con rectitud y miras las cosas con ojos de verdad, nunca te debes entristecer, ni descaecer tanto por las adversidades; sino antes bien holgarte y agradecerlo, y tener por única alegría que, afligiéndote con dolores, no te dejo sin castigo. *Así como me amó el Padre, yo os amo*, dije a mis amados discípulos, a los cuales no envié a gozos temporales, sino a grandes combates; no a honras, sino a desprecios; no al ocio, sino al trabajo; no al descanso, sino a recoger grandes frutos de paciencia. Hijo mío, acuérdate de estas palabras.

CAPÍTULO XXXI

Se ha de despreciar toda criatura, para que pueda hallarse al Criador

Señor, necesaria me es mayor gracia, si tengo de llegar adonde nadie ni ninguna criatura me pueda impedir; porque mientras alguna cosa me detiene, no puedo volar a ti libremente. Aquél que deseaba volar libremente decía: *¿Quién me dará alas como de paloma, y volaré y descansaré?* ¿Qué cosa hay más quieta que la intención pura? ¿Y qué cosa hay más libre que quien no desea nada en el mundo? Por eso conviene levantarse sobre todo lo criado, desprenderse totalmente de sí mismo y en lo más alto del entendimiento, ver que tú, Creador de todo, no tienes semejanza alguna con la criatura; y el que no se desocupare de todo lo creado, no podrá dedicarse libremente a las cosas divinas; por esto se hallan pocos contemplativos, porque son pocos los que saben desasirse del todo de las criaturas y de todo lo perecedero.

Para esto es menester gran gracia, que levante el alma, elevándola sobre sí misma; pero si no fuere el hombre levantado en espíritu, y libre de todo lo creado y todo unido a Dios, de poca estima es cuanto sabe y cuanto tiene. Por mucho tiempo se quedará pequeño, y no se levantará de lo terreno el que estima alguna cosa por grande, fuera del solo, el único, inmenso y eterno Bien. Y lo que no es Dios, nada es, y por nada se debe contar. Por cierto gran diferencia hay entre la sabiduría del varón iluminado y devoto y la ciencia del literato estudioso. Mucho más noble es la doctrina que mana de arriba de la influencia divina, que la que se alcanza con trabajo por el ingenio humano.

Muchos se hallarán que desean la contemplación; mas no estudian en ejercitarse en los medios que para ella se requieren. Hay también otro grandísimo impedimento, y es que están muy fijos los hombres en las señales y cosas sensibles, y tienen muy poco cuidado de la perfecta mortificación. No sé qué es, ni qué espíritu nos lleva, ni qué esperamos los que somos llamados espirituales, que tanto trabajo y cuidado ponemos por las cosas transitorias y viles, y rara vez nos recogemos del todo a considerar nuestro interior.

¡Ah dolor!, que al momento que nos hemos recogido un poquito, nos salimos afuera, y no pensamos en nuestras obras con detenido examen. No miramos adonde se fijan nuestras afecciones, ni lloramos cuán impuras son todas nuestras cosas. Toda carne había corrompido sus caminos y por eso se siguió el gran diluvio; porque como nuestro afecto interior esté corrompido, es necesario que la obra que sigue, que es señal de la privación de la fuerza interior, también se corrompa. Del corazón puro procede el fruto de la buena vida.

Miramos; cuanto hace cada uno, mas no pensamos de cuánta virtud procede. Con gran diligencia se inquiere si alguno es valiente, rico, hermoso, dispuesto o buen escritor, buen cantor, buen oficial; pero cuán pobre sea uno de espíritu, cuán paciente y manso, cuán devoto y recogido, pocos lo dicen. La naturaleza mira el exterior del hombre; mas la gracia se ocupa en lo interior: aquélla muchas veces se engaña; ésta pone su esperanza en Dios para no ser engañada.

CAPÍTULO XXXII

Cómo debe el hombre negarse a sí mismo y evitar toda codicia

Hijo, no puedes poseer la libertad perfecta si no te niegas del todo a ti mismo. En prisiones están todos los propietarios y amadores de sí mismos, los codiciosos y curiosos, los vagamundos, que buscan continuamente las cosas delicadas y no las que son de Jesucristo; antes componen e inventan muchas veces lo que no ha de permanecer, porque todo lo que no procede de Dios, perecerá. Imprime en tu alma esta breve y perfectísima sentencia: Déjalo todo y lo hallarás todo; deja la codicia y hallarás sosiego. Trata esto en tu pensamiento, y cuando lo cumplieres lo entenderás todo.

Señor, no es ésta obra de un día, ni juego de niños; antes en estas pocas palabras se encierra toda la perfección religiosa.

Hijo, no debes volver atrás, ni abatirte luego oyendo cuál es el camino de los perfectos; antes debes esforzarte para cosas más altas, o a lo menos aspirar a ellas con el deseo. ¡Ojalá así te sucediese y hubieses llegado a tanto, que no fueses amador de ti mismo y estuvieses dispuesto enteramente a obedecer mi voluntad y la del que te di por Prelado! Entonces me agradarías mucho, y pasarías tu vida en gozo y paz. Aún tienes muchas cosillas que debes dejar, que si no las renuncias enteramente por mí, no alcanzarás lo que pides. Yo te aconsejo que compres de mi oro afinado en fuego, para que seas rico, pues es la sabiduría celestial, que huella todo lo bajo. Desprecia la sabiduría terrena, el contento humano y el tuyo propio.

Yo te dije que debes comprar las cosas humanas más viles por preciosas y altas. Porque muy vil y pequeña y casi olvidada parece la verdadera sabiduría celestial, que no presume grandezas de sí, ni quiere ser engrandecida en la tierra, y la cual está sólo en los labios de muchos; mas en las obras andan muy apartados de ella, siendo ella una perla preciosa escondida a muchos.

CAPÍTULO XXXIII

De la inestabilidad del corazón, y cómo debemos dirigir nuestra intención final a Dios

Hijo, no quieras creer en tu deseo, que el que ahora tienes, presto se te cambiará en otro. Mientras vivieres estás sujeto a mudanzas, aunque no quieras; porque ahora te hallarás alegre, ahora triste, ahora sosegado, ahora turbado, ahora devoto, ahora indevoto, ya aplicado, ya perezoso; ahora pesado, ahora ligero. Mas sobre estas mudanzas está el sabio bien instruido en el espíritu. No mira a lo que siente en sí, ni de qué parte sopla el viento de la mudanza; sino que toda la intención de su espíritu se encamine y ayude al debido y deseado fin, porque así podrá permanecer siempre el mismo, entre tantos y tan varios accidentes de la vida, dirigiendo a mí sin cesar, la mira de su sencilla intención.

Y cuanto más pura fuere ésta, tanto más constante estará entre la diversidad de tantas tempestades. Pero en muchas cosas se obscurece el ojo de la pura intención; porque al momento mira lo primero deleitable que se le ofrece, y rara vez se halla alguno totalmente libre del defecto de buscar su propio interés. Así también los judíos en otro tiempo vinieron a Betania a visitar a María y a Marta, no sólo por Jesús, mas también para ver a Lázaro. Débese, pues, purificar el ojo de la intención; para que sea sencillo y recto, y se dirija a mí, sin atender a ningún otro objeto.

CAPÍTULO XXXIV

El que ama a Dios gusta de él en todo y sobre todo

¡Oh mi Dios y todas las cosas! ¿Qué quiero más, y qué mayor bienaventuranza puedo desear? ¡Oh sabrosa y dulcísima palabra para el que ama a Dios, y no al mundo ni a lo que en él está! ¡Dios mío, y todas las cosas! Al que entiende, basta lo dicho; y repetirlo muchas veces es gran alegría para el que ama; porque estando tú presente todo es alegría, y estando tú ausente todo es enojoso. Tú das la tranquilidad al corazón, y das gran paz y mucha alegría. Tú haces sentir bien de todo, y que se te alabe en todas las cosas. No puede cosa alguna deleitar mucho tiempo sin ti; y si ha de agradar y gustar de veras, conviene que tu gracia la asista y tu sabiduría la sazone.

A quien eres sabroso ¿qué no le sabrá bien? Y quien de ti no gusta ¿qué le podrá agradar? Mas, ¡ay!, que los sabios del mundo y los carnales desfallecen en tu sabiduría; porque en los unos se halla mucha vanidad, y en los otros la muerte. Mas los que te siguen con desprecio del mundo y mortificando su carne, éstos son los sabios verdaderos, porque pasan de la vanidad a la verdad y de la carne al espíritu. A estos tales es Dios sabroso, y cuanto bueno hallan en las criaturas, todo lo refieren a honra y gloria de su Creador. Pues diferente es y muy diferente el sabor del Creador y el de la criatura, el de la eternidad y el del tiempo, el de la luz increada y el de la luz iluminada.

¡Oh luz perpetua, que excedes a toda luz creada! Envía desde lo alto tal resplandor, que penetre todo lo íntimo de mi corazón; purifica, alegra, clarifica y vivifica mi espíritu con todas sus potencias, para que se una contigo con júbilo de mi alma. ¡Oh cuándo vendrá esta bendita y deseada hora, para que tú me sacies con tu presencia, y me seas todo en todas las cosas! Entretanto que esto no se me concediere no tendré cumplido gozo. Mas, ¡oh dolor! que vive aún el hombre viejo en mí, y no está del todo crucificado, ni está del todo muerto; aún codicia fuertemente contra el espíritu; mueve guerras interiores, y no consiente esté en quietud el reino del alma.

Mas tú que dominas el poderío del mar y amansas el movimiento de sus ondas, levántate y ayúdame. Destruye las gentes que buscan guerras, quebrántalas con tu virtud. Ruégote que muestres tus maravillas y que sea glorificada tu diestra, porque no tengo otra esperanza ni otro refugio sino a ti, Señor Dios mío.

CAPÍTULO XXXV

En esta vida no hay seguridad de carecer de tentaciones

Hijo, nunca estás seguro en esta vida; porque mientras vivieres siempre tienes necesidad de armas espirituales; entre enemigos andas, y a derecha e izquierda te combaten. Por eso, si no te vales por todas partes del escudo de la paciencia, no estarás mucho tiempo sin herida. Además de esto, si no pones tu corazón fijo en mí, con pura voluntad de sufrirlo todo por mí, no podrás sostener esta recia batalla ni conseguir la palma de los bienaventurados. Conviénete, pues, romper varonilmente con todo y pelear con mucho esfuerzo contra todo lo despreciable del mundo, porque al vencedor se da el maná y al perezoso le aguarda mucha miseria.

Si buscas descanso en esta vida, ¿cómo hallarás después la eterna bienaventuranza? No procures mucho descanso, sino mucha paciencia. Busca la verdadera paz, no en la tierra, sino en el cielo; no en los hombres ni en las demás criaturas, sino en Dios sólo, por cuyo amor debes aceptar de buena gana todas las cosas adversas, como son trabajos, dolores, tentaciones, vejaciones, congojas, necesidades, dolencias, injurias, calumnias, represiones, humillaciones, insultos, correcciones y menosprecios. Estas cosas aprovechan para la virtud; estas cosas prueban al soldado nuevo de Cristo, éstas fabrican la corona celestial. Yo daré eterno galardón por breve trabajo; infinita gloria por una confusión pasajera.

¿Piensas tú tener siempre consolaciones espirituales a medida de tu voluntad? Mis Santos no siempre las tuvieron, sino muchas pesadumbres, diversas tentaciones y grandes desconsuelos. Pero todo lo sufrieron con paciencia, y confiaron más en Dios que en sí; porque sabían que no son equivalentes todas las penas de esta vida para merecer la gloria venidera. ¿Quieres tú hallar luego, lo que muchos después de copiosas lágrimas y grandes trabajos con dificultad alcanzaron? Espera en el Señor y trabaja varonilmente; esfuérzate, no desconfíes, no huyas; mas ofrece con constancia tu cuerpo y tu alma por la gloria de Dios. Yo te lo pagaré muy cumplidamente. Yo estaré contigo en toda tribulación.

CAPÍTULO XXXVI

Contra los vanos juicios de los hombres

Hijo, abandona tu corazón firmemente en Dios, y no temas los juicios humanos cuando la conciencia no te acusa. Bueno es, y dichoso también, padecer de esta suerte; y esto es grave al corazón humilde que confía más en Dios que en sí mismo. Muchos hablan demasiadamente, y por eso se les debe dar poco crédito; y satisfacer a todos no es posible. Aunque S. Pablo trabajó en agradar a todos en el Señor, y se hizo todo para todos, todavía no tuvo en nada ser él juzgado del mundo.

Mucho hizo por la salud y edificación de los otros, trabajando cuanto pudo y estuvo de su parte; pero no pudo impedir que le juzgasen y despreciasen algunas veces. Por eso lo encomendó todo a Dios, que sabe todas las cosas, y con paciencia y humildad se defendía de las malas lenguas, y de los que piensan maldades y mentiras, y las dicen como se les antoja. No obstante, respondió algunas veces, porque no se escandalizasen algunos flacos de su silencio.

¿Quién eres tú para que temas al hombre mortal? Hoy es, y mañana no parece. Teme a Dios y no te espantarán los hombres. ¿Qué puede contra ti el hombre con palabras o injurias? A sí mismo se daña más que a ti, y cualquiera que sea, no podrá huir el juicio de Dios. Tú pon a Dios delante de tus ojos y déjate de quejas y contiendas. Y si te parece que al presente sufres confusión o vergüenza sin merecerlo, no te indignes por eso, ni disminuyas tu corona con la impaciencia; mas mírame a mí en el cielo, que puedo librar de toda confusión e injuria y dar a cada uno según sus obras.

CAPÍTULO XXXVII

De la total renunciación de sí mismo para alcanzar la libertad del corazón

Hijo, déjate a ti y me hallarás a mí. No quieras hacer elección ni te apropies cosa alguna, y siempre ganarás; porque negándote de verdad sin volverte a ti, se te dará mayor gracia.

Señor, ¿cuántas veces me negaré, y en qué cosas me dejaré?

Siempre y en cada hora, así en lo pequeño como en lo grande. Ninguna cosa exceptúo, pues en todo te quiero hallar desnudo; porque de otro modo ¿cómo podrás tú ser mío y yo tuyo, si no te despojas de toda voluntad propia interior y exteriormente? Cuanto más presto hicieres esto, tanto mejor te irá; y cuanto más pura y cumplidamente, tanto más me agradarás, y mucho más ganarás.

Algunos se renuncian, pero con alguna excepción del todo en Dios, y por eso trabajan en mirar por sí. También algunos al principio le ofrecen todo, pero después, combatidos por la tentación, se vuelven a las cosas propias, y por eso no aprovechan en la virtud. Éstos nunca llegarán a la verdadera libertad del corazón puro, ni a la gracia de mi suave familiaridad si antes no se renuncian del todo, haciendo cada día sacrificio de sí mismos, sin el cual no están ni estarán en la unión con que se goza de mí.

Muchas veces te dije, y ahora te lo vuelvo a decir: Déjate a ti, renúnciate, y gozarás de una gran paz interior. Dalo todo por el todo, no busques nada, nada vuelvas a pedir, está pura y confiadamente en mí y me poseerás, estarás libre en el corazón y no te hollarán las tinieblas. Esfuérzate para esto, y esto desea, que puedas despojarte de todo propio amor y desnudo seguir al desnudo Jesús, morir a ti mismo, y vivir a mí eternamente. Entonces huirán todas las vanas ilusiones, las penosas inquietudes y los superfluos cuidados. También se ausentará entonces el demasiado temor y morirá el amor desordenado.

CAPÍTULO XXXVIII

Del buen régimen en las cosas exteriores, y del recurso a Dios en los peligros

Hijo, debes mirar con diligencia, que en cualquier lugar y en toda acción u ocupación exterior, estés interiormente libre y seas señor de ti mismo, y que todas las cosas tengas debajo de ti, y no estés sujeto a ninguna de ellas, porque seas señor de tus acciones, no siervo, ni esclavo comprado, sino como libre y verdadero hebreo pases a gozar de la suerte y libertad de los hijos de Dios, los cuales ponen debajo de sí las cosas presentes; y contemplan las eternas; miran lo transitorio con el ojo izquierdo y con el derecho lo celestial; a los cuales no atraen las cosas temporales para estar asidos a ellas, antes ellos las atraen para servirse bien de ellas, según están de Dios ordenadas, e instituidas por el supremo Artífice, que no hizo nada sin orden en lo criado.

Si en cualquier cosa que te acaeciere estás firme, y no juzgas de ella según la apariencia exterior, ni miras con ojo carnal lo que oyes o ves, antes, en cualquier cosa entras luego a lo interior, como Moisés en el Tabernáculo para determinar sus dudas y dificultades, y tomó el remedio de la oración para librarse de los peligros y maldades de los hombres. Así debes tú huir y entrarte en el secreto de tu corazón, implorando con eficacia el socorro divino. Por eso se lee, que Josué y los hijos de Israel fueron engañados por los gabaonitas, porque no consultaron primero con el Señor, sino que creyendo de presto las blandas palabras, fueron con falsa piedad engañados.

CAPÍTULO XXXIX

No sea el hombre importuno en los negocios

Hijo, encomiéndame siempre tus negocios y yo los dispondré bien a su tiempo. Espera mi ordenación y experimentarás gran provecho.

Señor, muy de grado te encomiendo todas las cosas, porque poco puede aprovechar mi cuidado. Pluguiese a ti que no me apegase mucho a los sucesos futuros, sino que me ofreciese sin tardanza a tu voluntad.

Hijo, muchas veces piensa el hombre con vehemencia en lo que desea, mas cuando ya lo alcanza tiene otro parecer; porque las aficiones acerca de una misma cosa no duran mucho, sino que de una nos llevan a otra; por lo cual no es poco dejarse a sí mismo aún en lo poco.

El verdadero aprovechar es negarse a sí mismo, y el hombre que se ha negado a sí está muy libre y seguro. Mas el enemigo antiguo, adversario de todos los buenos, no cesa de tentar; antes bien, de día y de noche pone graves asechanzas para prender si pudiere a algún descuidado, con los lazos del engaño. Por eso, *Velad y orad*, dice el Señor, *porque no entréis en tentación*.

CAPÍTULO XL

No tiene el hombre nada bueno en sí, ni tiene de qué alabarse

Señor, ¿qué es el hombre para que te acuerdes de él, o el hijo del hombre para que lo visites? ¿Qué ha merecido el hombre para que le dieses tu gracia? Señor ¿de qué me puedo quejar si me desamparas? ¿O cómo justamente podré contender contigo si no hicieres lo que pido? Por cierto esto puedo yo pensar y decir con verdad: Nada soy, Señor, nada puedo, ninguna cosa tengo buena en mí; mas en todo desfallezco y voy siempre a la nada. Y si no soy ayudado de ti, e informado interiormente, todo me hago tibio y disipado.

Mas tú, Señor, eres siempre el mismo, y permaneces para siempre; siempre eres bueno, justo y santo; todas las cosas haces bien, justa y santamente y las ordenas con sabiduría. Mas yo, que soy más inclinado a caer que a aprovechar, no persevero siempre en un estado, porque se mudan siete tiempos sobre mí. Pero luego me va mejor cuando te place y extiendes tu mano para ayudarme, porque tú solo, sin auxilio humano, me puedes socorrer y fortalecer, de manera que no se altere mi semblante, sino que a ti se convierta, y en ti solo descanse mi corazón.

Por lo cual si yo supiese bien desechar toda consolación humana, ora por alcanzar la devoción, ora por la necesidad que tengo de buscarte, porque no hay hombre que me consuele; con razón podría yo esperar en tu gracia, y alegrarme con el don de la nueva consolación.

Muchas gracias sean dadas a ti, de quien viene todo, siempre que me sucede algún bien. Yo soy vanidad y nada delante de ti; hombre mudable y enfermo. ¿De qué pues me puedo gloriar, o por qué deseo ser estimado? ¿Por ventura, de lo que es nada? Esto es vanísimo. Por cierto la vanagloria es una mala pestilencia y grandísima vanidad, porque nos aparta de la verdadera gloria y nos despoja de la gracia celestial; porque contentándose un hombre a sí mismo te descontenta a ti; y cuando desea las alabanzas humanas, es privado de las virtudes verdaderas.

La gloria verdadera y la alegría santa consiste en gloriarse en ti y no en sí mismo, gozarse en tu nombre y no en la propia virtud, y en no deleitarse en criatura alguna sino por ti. Sea alabado tu Nombre y no el mío; engrandecidas sean tus obras y no las mías; alabado sea tu santo Nombre, y no me sea a mí atribuida ninguna alabanza de los hombres. Tú eres mi gloria, tú la alegría de mi corazón. En ti me gloriaré y regocijaré todos los días; mas de mi parte no hay de qué me gloríe sino en mis flaquezas.

Busquen los hombres la gloria de entre sí mismos, yo buscaré la gloria que procede de sólo Dios; porque toda gloria humana, toda honra temporal, toda la grandeza mundana, comparada con tu eterna gloria, es vanidad y locura. ¡Oh Verdad mía y Misericordia mía, Dios mío, Trinidad bienaventurada, solo a Ti sea dada alabanza, honra, virtud y gloria por infinitos siglos de los siglos!

CAPÍTULO XLI

Del desprecio de toda honra temporal

Hijo, no te pese, si vieres honrar y ensalzar a otros, y que tú eres despreciado y abatido. Levanta tu corazón a mí en el cielo y no te entristecerá el desprecio de los hombres en la tierra.

Señor, en gran ceguedad estamos y la vanidad muy presto nos engaña. Si bien me miro, nunca se me ha hecho injuria por criatura alguna, no tengo, pues, de qué quejarme justamente de ti. Mas porque yo muchas veces pequé gravemente contra ti, con razón se arman contra mí todas las criaturas. Justamente, pues, se me debe la confusión y el desprecio, y a ti, Señor, la alabanza, honra y gloria. Y si no me dispusiere, de modo que huelgue mucho en ser de cualquier criatura despreciado, y desamparado, y del todo tenido en nada, no podré estar con paz y constancia en lo interior, ni ser iluminado en el espíritu, ni unido a ti perfectamente.

CAPÍTULO XLII

No se ha de poner la paz en los hombres

Hijo, si pones tu paz en alguno por tu parecer, y por conversar con él, estarás sin quietud y sin sosiego. Mas si vas a buscar, la verdad, que siempre vive y permanece, no te entristecerás por el amigo que se retirare o se muriere. En mí ha de estar el amor del amigo, y por mí se ha de amar a cualquiera que en esta vida te pareciere bueno y amable. Sin mí no vale nada ni durará la amistad, ni es verdadero ni puro el amor que yo no compongo. Tan muerto debes estar a las aficiones de los amigos, que, por lo que a ti toca, debes carecer de todo trato humano. Tanto se acerca el hombre a Dios, cuanto se desvía de todo consuelo terreno; y tanto más alto sube a Dios, cuanto más bajo desciende en sí y se tiene por más vil.

El que se atribuye a sí mismo algo bueno, impide a la gracia de Dios venga a él; porque la gracia del Espíritu Santo siempre busca el corazón humilde. Si te supieses anonadar perfectamente y limpiar de todo amor criado, yo entonces manaría en ti con abundantes gracias. Cuando miras a las criaturas, se aparta de ti la vista del Creador. Aprende a vencerte en todo por el Creador, y entonces podrás llegar al conocimiento divino. Cualquier cosa, por pequeña que sea, si se ama y se mira desordenadamente, nos retarda gozar del sumo Bien, y nos daña.

CAPÍTULO XLIII

Contra la ciencia vana del siglo

Hijo, no te muevan los dichos agudos y limados de los hombres, porque no está el reino de Dios en palabras, sino en virtud. Atiende a mis palabras, que encienden los corazones e iluminan las almas, excitan a contrición y traen muchas consolaciones. Nunca leas para mostrarte más letrado o sabio. Estudia en mortificar los vicios, porque más te aprovechará esto que el saber muchas cuestiones difíciles.

Cuando hubieres acabado de leer y saber muchas cosas, te conviene volver a un mismo principio. Yo soy el que enseño al hombre la ciencia, y doy a los pequeños más claro entendimiento que ningún hombre puede enseñar. Al que yo hablo luego será sabio, y aprovechará mucho en el espíritu. ¡Ay de aquellos que quieren aprender de los hombres curiosidades, y cuidan muy poco del camino de servirme a mí! Tiempo vendrá, cuando aparecerá el Maestro de los maestros Cristo, Señor de los ángeles, para oír las lecciones de todos, esto es, para examinar las conciencias de cada uno; y *entonces escudriñará a Jerusalén con candelas, y serán descubiertos los secretos de las tinieblas, y callarán los argumentos de las lenguas.*

Yo soy el que en un punto levanto al entendimiento humilde, para que entienda más razones de la verdad eterna que si hubiese estudiado diez años, Yo enseño sin ruido de palabras, sin confusión de opiniones, sin fausto de honra y sin combate de argumentos. Yo soy el que enseña a despreciar lo terreno y aborrecer lo presente, buscar y saber lo eterno, huir las honras, sufrir los escándalos, poner toda esperanza en mí, fuera de mí no desear nada, y amarme ardientemente sobre todas las cosas.

Y así uno, amándome entrañablemente, aprendió cosas divinas y hablaba maravillas. Más aprovechó con dejar todas las cosas que con estudiar sutilezas. Mas a unos hablo cosas comunes, a otros cosas especiales. A unos me muestro dulcemente por señales y figuras, a otros revelo misterios con mucha luz. Una sola cosa dicen los libros, mas no enseñan igualmente a todos; porque yo soy en lo interior doctor de la verdad, escudriñador del corazón, conocedor de los pensamientos, movedor de las obras, y reparto a cada uno según juzgo ser digno.

CAPÍTULO XLIV

No se deben buscar las cosas exteriores

Hijo, te conviene ser ignorante en muchas cosas y estimarte como muerto sobre la tierra, y a quien todo el mundo esté crucificado. Te conviene también hacerte sordo a muchas cosas y pensar más en lo que conviene para tu paz. Más útil es apartar los ojos de lo que no te agrada y dejar a cada uno en su parecer, que entender en porfías. Si estás bien con Dios y miras su juicio, más fácilmente te darás por vencido.

¡Oh Señor, a qué hemos llegado!, que lloramos los daños temporales, y por una pequeña ganancia trabajamos y corremos, y el daño espiritual se pasa en olvido, y apenas tarde vuelve a la memoria. Por lo que poco o nada vale, se mira mucho; mas lo que es muy necesario se pasa con descuido, porque todo hombre se deja llevar de lo exterior, y si presto no vuelve en sí, con gusto se está envuelto en ello.

CAPÍTULO XLV

No se debe creer a todos, y cómo fácilmente se resbala en las palabras

Señor, ayúdame en la tribulación, porque es vana la salud del hombre. ¡Cuántas veces no hallé fidelidad donde pensé que la había, y cuántas veces la hallé donde menos lo pensaba! Por eso es vana la esperanza en los hombres; mas la salud de los justos está en ti, mi Dios. Bendito seas Señor Dios mío, en todas las cosas que nos suceden. Flacos somos e inconstantes, presto somos engañados y nos mudamos.

¿Qué hombre hay que se pueda guardar tan cauta y discretamente en todo, que alguna vez no caiga en algún engaño o perplejidad? Mas el que confía en ti, Señor, y te busca con corazón sencillo, no resbala tan de presto. Y si cayere en alguna tribulación, de cualquier manera que estuviere en ella enlazado, presto será librado por ti, o consolado, porque no desamparas tú al que en ti espera hasta el fin. Raro es el fiel amigo que persevera en todos los trabajos de su amigo. Tú, Señor, tú solo eres fidelísimo en todo, y fuera de ti no hay otro tal.

¡Oh cuán bien supo aquel alma santa que dijo: Mi alma está fija y fundada en Cristo! Si yo estuviese así, no me acongojaría tan fácilmente el temor humano, ni me moverían palabras injuriosas. ¿Quién puede prevenirlo todo? ¿Quién basta para guardarse de los males venideros? Si lo muy previsto con tiempo daña muchas veces, ¿qué hará lo no prevenido, sino herir gravemente? ¿Pues por qué miserable de mí, no me previene mejor? ¿Por qué creí tan de ligero a los otros? Pero hombres somos, y hombres flacos y quebradizos, aunque de muchos seamos estimados y llamados ángeles. ¿A quién creeré, Señor, a quién sino a ti? Verdad eres, que no engañas ni puedes ser engañado. Mas todo hombre es mentiroso, enfermo, mudable y resbaladizo, especialmente en las palabras; de modo que apenas se debe creer luego lo que parece verdadero a primera vista.

¡Con cuánta prudencia nos avisaste que nos guardásemos de los hombres, que son enemigos del hombre los propios de su casa, y que no debíamos dar crédito a los que dijeren: Está aquí o allí lo que deseamos! El mismo daño me ha enseñado. Quiera Dios que sea para guardarme más y no para hacerme más necio. Díceme uno: Mira que seas cauto; guarda en secreto esto que te digo. Y mientras yo callo, y creo que está secreto, el mismo que me lo encomendó no pudo callar; sino que luego se descubrió a sí y a mí y se fue. Defiéndeme, Señor, de estos hombres habladores e indiscretos, para que no caiga en sus manos, ni yo cometa semejantes cosas. Pon en mi boca palabras verdaderas y fieles, y desvía lejos de mí la lengua cavilosa. De lo que no quiero sufrir me debo guardar mucho.

¡Oh cuán bueno y de cuánta paz es callar de otros, y no creer fácilmente todas las cosas, ni hablarlas de ligero después; descubrirse a pocos, buscarte siempre a ti, Señor, que miras al corazón, y no dejarse llevar por cualquier viento de palabras, sino desear que todas las cosas interiores y exteriores se cumplan según el beneplácito de tu voluntad! ¡Cuán seguro es para conservar la gracia celestial, huir la humana apariencia y no codiciar las cosas visibles que causan admiración, sino seguir con toda diligencia las cosas que conducen a la enmienda de la vida y al fervor! ¡A cuántos ha dañado la virtud descubierta y alabada antes de tiempo! ¡Cuán provechosa fue siempre la gracia guardada con el callar en esta frágil vida, que toda es tentación y pelea!

CAPÍTULO XLVI

De la confianza que se debe tener en Dios cuando nos dicen injurias

Hijo, está firme y espera en mí. ¿Qué cosa son las palabras sino palabras? Por el aire vuelan, pero no hieren la piedra. Si estás culpado, determina de enmendarte; si no hallas en ti culpa, ten por bien sufrir por Dios. Muy poco es que sufras siquiera palabras algunas veces, pues aún no puedes sufrir fuertes azotes. ¿Y por qué tan pequeñas cosas te pasan el corazón, sino porque aún eres carnal, y miras a los hombres más de lo que conviene? Porque temes ser despreciado no quieres ser reprendido de tus faltas, y buscas las sombras de las excusas.

Considérate mejor, y conocerás que aún vive en ti el amor del mundo y el deseo vano de agradar a los hombres. Porque en huir de ser abatido y avergonzado por tus defectos, se muestra muy claro que no eres verdadero humilde, ni estás del todo muerto al mundo, ni el mundo está a ti crucificado. Mas oye mis palabras, y no cuidarás de cuántas dijeren los hombres. Di; si se dijese contra ti todo cuanto pudiese fingir la más refinada malicia, ¿qué te dañaría si del todo lo dejases pasar, y no lo estimases en una paja? Te podría por ventura arrancar un solo cabello?

Mas el que no está dentro de su corazón, ni me tiene a mí delante de sus ojos, presto se conmueve por una palabra de menosprecio. Pero el que confía en mí, y no desea su propio parecer, vivirá sin temer a los hombres; porque yo soy el juez y conozco todos los secretos; yo sé cómo pasan las cosas; yo conozco al que hace la injuria y al que la sufre. De mí sale esta palabra, permitiéndolo yo acaece esto, porque se descubran los pensamientos de muchos corazones. Yo juzgaré al culpado y al inocente; mas quiero probar primero al uno y al otro con juicio secreto.

El testimonio de los hombres muchas veces engaña; mi juicio es verdadero; subsistirá y siempre estará firme. Muchas veces está escondido, y de pocos es conocido enteramente; pero nunca yerra, ni puede errar, aunque a los ojos de los necios no parezca recto. A mí, pues, se ha de recurrir en cualquier juicio, y no apoyarse en el propio saber; porque el justo no se turbará por cosas que Dios ordene sobre él. Y si algo fuere dicho contra él injustamente, no se inquietará por ello, ni se alegrará vanamente si otros le defendieren con razón: porque sabe que soy yo el que escudriño los corazones y las entrañas, y que no juzgo según el exterior y las apariencias humanas; antes muchas veces se halla, en mis ojos culpable, el que al juicio humano parece digno de alabanza.

Señor Dios, justo juez, fuerte y paciente, que conoces la flaqueza y maldad de los hombres, sé tú mi fortaleza y toda mi confianza, porque no me basta mi conciencia. Tú sabes lo que yo no sé, y por eso me debo humillar en cualquier reprensión, y sufrirla con mansedumbre. Perdóname también, Señor, piadosamente por todas las veces que no lo hice así, y dame otra vez gracia de mayor sufrimiento; porque mejor me es tu copiosa misericordia para alcanzar el perdón, que mi justicia presunta para defender lo secreto de mi conciencia. Y aunque ella no me acuse, no por esto puedo justificarme; porque quitada tu misericordia, no será justificado en tu acatamiento ningún viviente.

CAPÍTULO XLVII

Todas las cosas graves se deben sufrir por la vida eterna

Hijo, no te quebranten los trabajos que has tomado por mí, ni te abatan del todo las tribulaciones; más mi promesa te esfuerce y consuele en todo lo que sucediere. Yo basto para galardonarte sobre toda manera y medida. No trabajarás aquí mucho tiempo, ni serás agravado siempre de dolores. Espera un poquito y verás cuán presto se pasan los males. Vendrá una hora en que cesará todo trabajo y confusión. Poco y breve es todo lo que pasa con el tiempo.

Esfuérzate, pues, como lo haces: trabajando fielmente en mi viña, que yo seré tu galardón. Escribe, lee, canta, suspira, calla, ora, sufre varonilmente lo adverso; la vida eterna digna es de éstas y de otras mayores peleas. Vendrá la paz en un día que el Señor sabe, el cual no se compondrá de día y noche como en esta vida temporal, sino de luz perpetua, claridad infinita, paz firme y descanso seguro. No dirás entonces: *¿Quién me librará del cuerpo de esta muerte?* Ni exclamarás: *¡Ay de mí! que se ha prolongado mi destierro*; porque la muerte será destruida, y la salud será sin defecto. Ninguna congoja habrá ya, sino bienaventurada alegría, compañía dulce y hermosa.

¡Oh si vieses las coronas eternas de los santos en el cielo, y de cuánta gloria gozan ahora los que eran en este mundo despreciados y tenidos casi por indignos de vivir! Por cierto luego te humillarías hasta la tierra, y desearías más estar sujeto a todos que mandar a uno, y no codiciarías los días alegres de esta vida, sino antes te gozarías de ser atribulado por Dios, y tendrías por grandísima ganancia ser tenido por nada entre los hombres.

¡Oh si gustasen estas cosas y penetrasen profundamente en tu corazón, cómo ni aun una sola vez osarías quejarte! ¿No son de sufrir todas las cosas trabajosas por la vida eterna? No es de pequeña estima ganar o perder el reino de Dios. Levanta, pues, tu rostro al cielo; mira que yo y todos mis santos, que tuvieron grandes combates en este siglo, ahora se gozan y están consolados y seguros; ahora descansan en paz, y permanecerán conmigo sin fin en el reino de mi Padre.

CAPÍTULO XLVIII

Del día de la eternidad, y de las angustias de esta vida

¡Oh bienaventurada morada de la ciudad soberana! ¡Oh día clarísimo de la eternidad, que no le obscurece la noche, sino que siempre lo ilumina la suma Verdad; día siempre alegre, siempre seguro y siempre sin mudanza! ¡Oh si ya amaneciese este día y se acabasen todas estas cosas temporales! Resplandece por cierto para los santos con una perpetua claridad; mas no así a los que están en esta peregrinación, sino de lejos y como por espejo.

Los ciudadanos del cielo saben cuán alegre será aquel día; los desterrados hijos de Eva gimen de ver cuán amargo y enojoso será éste de acá. Los días de este tiempo son pocos y malos, llenos de dolores y angustias, donde se mancha el hombre con muchos pecados, se enreda en muchas pasiones, es oprimido de muchos temores, agravado con muchos cuidados, distraído con muchas curiosidades, envuelto en muchas vanidades, confundido en muchos errores, quebrantado en muchos trabajos, acosado de tentaciones, enflaquecido con los deleites, atormentado de pobreza.

¡Oh cuándo se acabarán todos estos trabajos! ¡Cuándo estaré libre de la miserable servidumbre de los vicios! ¡Cuándo me acordaré, Señor, de ti sólo! ¡Cuándo me alegraré cumplidamente en ti! ¡Cuándo estaré sin todo impedimento en la verdadera libertad, sin ninguna pesadumbre de alma y cuerpo! ¡Cuándo tendré paz firme, paz sin perturbación y segura, paz de dentro y de fuera, paz estable de todas partes! ¡Oh buen Jesús, cuándo estaré para verte! ¡Cuándo contemplaré la gloria de tu reino! ¡Cuándo será para mí todo en todas las cosas! ¡Cuándo estaré contigo en tu reino, el cual has preparado eternamente a tus escogidos! Me has dejado pobre y desterrado en tierra enemiga, donde hay continuas guerras y grandes infortunios.

Consuela mi destierro, mitiga mi dolor, porque a ti suspira todo mi deseo. Todo consuelo que ofrece el mundo me parece muy pesada carga. Deseo gozarte íntimamente, mas no puedo conseguirlo. Deseo estar unido a las cosas celestiales, pero agrávanme las temporales y las pasiones no mortificadas. Con el espíritu me quiero levantar sobre todas las cosas; mas la carne me obliga a sujetarme a todas ellas contra mi voluntad. Así yo, hombre miserable, peleo conmigo y a mí mismo me soy enojoso, cuando el espíritu busca lo de arriba y la carne lo de abajo.

¡Oh Señor, cuánto padezco en lo interior cuando considero las cosas celestiales, y luego orando se me ofrece un tropel de cosas del mundo! Dios mío, no te alejes de mí, ni te desvíes con ira de tu siervo; resplandezca un rayo de tu claridad y disipa estas tinieblas; envía tus saetas, y contúrbense todas las asechanzas de los enemigos. Recoge todos mis sentidos en ti; hazme olvidar todas las cosas de la tierra. Otórgame que deseche y aparte de mí prontamente aún las sombras de los vicios. Socórreme, Verdad eterna, para que no me mueva vanidad alguna, ven, Suavidad celestial y huya de tu presencia toda impureza. Perdóname también por tu santísima misericordia todas cuantas veces pienso en la oración alguna cosa fuera de ti. Porque verdaderamente confieso mi costumbre, que muchas veces estoy en la oración fuera de lo que debo; porque muchas veces no estoy allí donde tengo mi cuerpo, sino que más bien estoy allá donde mis pensamientos me llevan. Donde está mi pensamiento allí estoy yo; allí está mi pensamiento a menudo adonde está lo que amo. Lo que naturalmente me deleita y por la costumbre me agrada, eso es lo que se me ofrece luego.

Por lo cual tú, que eres verdad, dijiste: *Donde está tu tesoro, allí está tu corazón.* Si amo el cielo, con gusto pienso en las cosas celestiales. Si amo el mundo, alégrome con las prosperidades del mundo, y entristézcome de sus adversidades. Si amo la carne, muchas veces pienso en las cosas carnales. Si amo al espíritu, huélgome en pensar cosas espirituales; porque de todas las cosas que amo, hablo y oigo hablar de buena gana, y las imágenes de estas cosas traigo conmigo a mi morada. Más bienaventurado aquel hombre que por tu amor desecha todo lo criado; que hace fuerza a su natural, y crucifica los apetitos carnales con el fervor del espíritu, para que serenada su conciencia, te ofrezca una oración pura, y sea digno de estar entre los coros angélicos, desechadas dentro y fuera de sí todas las cosas terrenas.

CAPÍTULO XLIX

Del deseo de la vida eterna, y cuántos bienes están prometidos a los que pelean

Hijo, cuando sientas infundirse en ti algún deseo de la eterna bienaventuranza, y deseas salir de la cárcel del cuerpo para poder contemplar mi claridad sin sombra de mudanzas, dilata tu corazón y recibe con todo amor esta santa inspiración. Da muchas gracias a la soberana Bondad, que lo hace así contigo, visitándote con clemencia, excitándote con amor, levantándote con poderosa mano, para que no caigas en lo terreno por tu propio peso. Porque esto no lo recibes por tu diligencia o esfuerzo, sino por sólo la dignación de la gracia soberana y del agrado divino, para que aproveches en virtudes y en mayor humildad, y te prepares para los combates venideros, y trabajes por allegarte a mí de todo corazón, y servirme con fervorosa voluntad.

Hijo, muchas veces arde el fuego, mas no sube la llama sin humo. Así también se encienden los deseos de algunos a las cosas celestiales; mas aún no están libres de la tentación del amor carnal. Y por eso no hacen por la honra de Dios con toda pureza de intención, aún lo que con muy gran deseo le piden. Tal suele ser muchas veces tu deseo, el cual mostraste con tanta importunidad; porque no es puro ni perfecto lo que va inficionado de propio interés.

Pide, no lo que es para ti deleitable y provechoso, sino lo que es para mí aceptable y honroso; que si rectamente juzgas, debes anteponer mi ordenación a tu deseo y a cualquier cosa deseada, y seguir mi voluntad. Yo conozco tu deseo, y he oído tus largos gemidos. Ya querrías tú estar en la libertad de la gloria de los hijos de Dios; ya te deleita la morada eterna y la patria celestial llena de gozo; mas aún no ha llegado esa hora, aún es otro tiempo; conviene a saber, tiempo de guerra, tiempo de trabajo y de prueba. Deseas ser lleno del sumo Bien; mas no lo puedes alcanzar ahora. *Yo soy. Espérame,* dice el Señor, *hasta que venga el reino de Dios.*

Has de ser probado aún en la tierra, y ejercitado en muchas cosas. Algunas veces serás algún tanto consolado, mas no te será dada cumplida hartura. Por eso esfuérzate mucho y sé robusto, así en hacer como en padecer cosas contrarias a la naturaleza. Conviene que te vistas del hombre nuevo y que seas mudado en otro hombre. Conviénete hacer muchas veces lo que no quieres y dejar lo que quieres. Lo que agrada a los otros irá delante; lo que a ti te contenta no pasará más allá; lo que dicen otros será oído; lo que dices tú será reputado por nada; pedirán los otros y recibirán; pedirás tú y no alcanzarás.

Otros serán muy grandes en la boca de los hombres, mas de ti no se hará cuenta. A otros se encargará éste o aquel negocio, tú serás tenido por inútil. Por esto se entristecerá algunas veces la naturaleza; pero será cosa grande si lo sufrieres callado. En éstas y otras cosas semejantes suele ser probado el siervo fiel del Señor; para ver cómo sabe negarse y mortificarse en todo. Apenas se hallará cosa en que más te convenga morir a ti mismo, como en ver y sufrir lo contrario a tu voluntad, principalmente cuando te parece sin razón, y de poco provecho lo que te mandan hacer. Y porque tú, siendo mandado, no osas resistir a la voluntad de tu superior, por eso te parece cosa dura andar a la voluntad ajena, y dejar tu propio parecer.

Más considera, hijo, el fruto de estos trabajos, el fin cercano y el muy grande galardón, y no te serán graves, sino más bien de una gran consolación que esfuerce tu paciencia; porque también por esta poca voluntad propia que ahora dejas de grado, poseerás, para siempre tu voluntad en el cielo; pues allí hallarás todo lo que quisieres y cuanto pudieres desear. Allí tendrás en tu poder todo el bien sin miedo de perderlo. Allí tu voluntad, unida con la mía para siempre, no codiciará cosa alguna extraña o particular. Allí ninguno te resistirá, ninguno se quejará de ti, ninguno te impedirá ni contradecirá; mas todas las cosas deseadas tendrás presentes juntamente, y saciarán todo tu afecto, y lo colmarán cumplidamente. Allí te daré yo gloria por la injuria que sufriste, manto de alabanza por la tristeza, por el más bajo lugar, el trono del reino eterno. Allí aparecerá el fruto de la obediencia, alegrarse el trabajo de la penitencia, y la humilde sujeción será gloriosamente coronada.

Ahora, pues, inclínate humildemente bajo las manos de todos, y no cuides de mirar quién lo dijo o quién lo mandó. Mas ten grandísimo cuidado, ora sea prelado, o menor, o igual el que algo te pidiere o insinuare, que todo lo tengas por bueno, y cuides de cumplirlo con voluntad sincera. Busque cada uno lo que quisiere; gloríese éste en esto y aquél en lo otro, y sea alabado mil millares de veces; mas tú ni en esto ni en aquello, sino gózate en el desprecio de ti mismo y en mi voluntad y honra. Una cosa debes desear, que tanto en vida como en muerte sea Dios siempre glorificado en ti.

CAPÍTULO L

Cómo se debe ofrecer en las manos de Dios el hombre desconsolado

Señor Dios, Padre Santo, ahora y para siempre seas bendito, que así como tú quieres ha sido hecho, y lo que haces es bueno. Alégrese tu siervo en ti, no en sí, ni en otro alguno; porque tú solo eres la alegría verdadera; tú mi esperanza y mi corona; tú mi gozo y mi honra. ¿Qué tiene tu siervo, sino lo que recibió de ti aún sin merecerlo? Tuyo es todo lo que me has dado y hecho conmigo. Pobre soy, y en trabajos desde mi mocedad; y mi alma se entristece algunas veces hasta llorar, y otras se turba en sí mismo por las pasiones que se levantan.

Deseo el gozo de la paz; pido la paz de tus hijos, que son apacentados por ti en la luz de la consolación. Si me das paz, si derramas en mí tu santo gozo, estará el alma de tu siervo llena de alegría y devota para alabarte. Mas si te apartares, como muchísimas veces lo haces, no podrá correr el camino de tus mandamientos; antes bien hincará las rodillas para herir su pecho; porque no le va como los días pasados, cuando resplandecía tu luz sobre su cabeza, y bajo la sombra de tus alas, era defendida de las tentaciones que venían.

Padre justo y siempre digno de ser alabado, ha llegado la hora en que tu siervo sea probado. Padre digno de ser amado, justo es que tu siervo padezca algo por ti en esta hora. Padre digno de ser siempre honrado, venida es la hora que tú sabías desde la eternidad que había de venir, en la cual tu siervo esté por poco tiempo abatido en lo exterior, mas viva siempre interiormente delante de ti. Sea despreciado y humillado un poco, y desechado delante de los hombres, sea quebrantado con pasiones y enfermedades, porque resucite contigo a la aurora de la nueva luz, y sea clarificado en las cosas celestiales. Padre santo, así lo ordenaste tú, y así lo quisiste, y lo que tú mandaste se ha hecho.

Ésta es la merced que haces a tu amigo, que padezca y sea atribulado en este mundo por tu amor, cuantas veces permites que se haga y por cualquier hombre que se hiciere. Sin tu consejo y providencia y sin causa no se hace cosa en la tierra. Señor, bueno es para mí que me hayas humillado, para que aprenda tus justificaciones y destierre de mi corazón toda vanidad y presunción. Provechoso es para mí que la confusión haya cubierto mi rostro, porque así te busque para consolarme y no a los hombres. También aprendí en esto a temblar de tu inescrutable juicio; afliges al justo con el malo, mas no sin equidad y justicia.

Gracias te doy, que no dejaste sin castigo mis males, sino que me afligiste con amargos azotes, hiriéndome con dolores y enviándome angustias interiores y exteriores. No hay quien me consuele debajo del cielo sino tú, Señor Dios mío, médico celestial de las almas, que hieres y sanas, pones en graves tormentos y libras de ellos. Sea tu corrección sobre mí, y tu mismo castigo me enseñará.

Padre mío muy amado, me ves aquí en tus manos, yo me inclino a la vara de tu corrección. Hiere mis espaldas y mi cuello, para que enderece mi torcido querer a tu voluntad. Hazme piadoso y humilde discípulo, como bien sueles hacerlo, para que ande siempre según todo tu querer. Todas mis cosas y a mí te encomiendo, para que me corrijas; mejor es aquí ser corregido que en la vida futura. Tú sabes todas las cosas, en común y en particular, y no se te esconde nada en la humana conciencia. Antes que se haga sabes lo venidero, y no tienes necesidad que alguno te enseñe o avise de las cosas que se hacen en la tierra. Tú sabes lo que conviene para mi adelantamiento, y cuánto me aprovecha la tribulación para limpiar el orín de los vicios. Haz conmigo tu voluntad según tu deseo, y no deseches mi vida pecadora, a ninguno mejor ni más claramente conocida que a ti solo.

Señor, concédeme que sepa lo que debo, que ame lo que se debe amar, que alabe lo que a ti es agradable, estime lo que te parece precioso, y aborrezca lo que es feo a tus ojos. No me dejes juzgar según la vista de los ojos exteriores, ni sentenciar según el oído de los hombres ignorantes; sino que pueda discernir con verdadero juicio, entre lo visible y lo espiritual, y sobre todo buscar siempre la voluntad de tu divino beneplácito.

Muchas veces se engañan los sentidos de los hombres en juzgar, y los mundanos se engañan también en amar solamente lo visible. ¿Qué mejoría tiene el hombre porque otro le repute mayor? El falso engaña al falso, el vano al vano, el ciego al ciego, el enfermo al enfermo cuando lo ensalza; y verdaderamente más le confunde cuando vanamente le alaba; porque cuanto es cada uno en los ojos de Dios, tanto es y no más, dice el humilde San Francisco.

CAPÍTULO LI

Debemos ocuparnos en cosas humildes, cuando faltan las fuerzas para las altas

Hijo, no puedes estar siempre en fervoroso deseo de las virtudes, ni perseverar en el más alto grado de la contemplación, sino que es necesario a veces, por la corrupción del pecado original, que desciendas a cosas bajas, y lleves la carga de esta vida corruptible aunque te pese y enoje. Mientras que traes el cuerpo mortal, enojo sentirás y pesadumbre de corazón. Por eso conviene gemir muchas veces, estando en la carne, por el peso de la carne, porque no puedes ocuparte continuamente en los ejercicios espirituales y en la divina contemplación.

Entonces conviene que te ocupes en obras humildes y exteriores, consolándote con hacer buenos actos, y espera mi venida, y la visitación celestial con firme confianza. Sufre con paciencia tu destierro y la sequedad del espíritu, hasta que de nuevo yo te visite y seas libre de toda congoja; porque yo te haré olvidar las penas, y que goces de gran serenidad interior. Yo extenderé delante de ti los prados de las Escrituras, para que ensanchado tu corazón empieces a correr el camino de mis mandamientos, y digas: No son comparables los trabajos de este tiempo con la gloria futura que se manifestará en nosotros.

CAPÍTULO LII

No se estime el hombre por digno de consuelo, sino de castigos

Señor, no soy digno de tu consolación, ni de visita alguna espiritual, y por eso obras justamente conmigo cuando me dejas pobre y desconsolado; porque aunque yo pudiese derramar tantas lágrimas como el mar no merecería aun tu consolación. Por eso no soy digno sino de ser azotado y castigado; porque yo te ofendí gravemente y muchas veces, y pequé mucho y de muchas maneras. Así que, bien mirado, no soy digno de bien alguno por pequeño que sea. Mas tú, Dios piadoso y misericordioso, que no quieres que tus obras perezcan, por mostrar las riquezas de tu bondad sobre los vasos de misericordia, aun sobre todo merecimiento tienes por bien de consolar a tu siervo de un modo sobrehumano, porque tus consolaciones no son como las conversaciones humanas.

¡Oh Señor! ¿qué he hecho yo para que tú me dieses alguna consolación celestial? Yo no me acuerdo haber hecho algún bien; sino que he sido siempre inclinado a vicios y muy perezoso para enmendarme. Esto es verdad, y no puedo negarlo; si yo dijese otra cosa, estarías contra mí, y no habría quien me defendiese. ¿Qué he merecido por mis pecados, sino el infierno y el fuego eterno? Conozco en verdad que soy digno de todo escarnio y menosprecio, y que no me corresponde contarme entre tus devotos. Y aunque yo diga esto con tristeza, sin embargo, reprenderé mis pecados contra mí por la verdad, porque más fácilmente merezca alcanzar tu misericordia.

¿Qué diré yo, pecador y lleno de toda confusión? No tengo boca para hablar sino solo esta palabra: Pequé, Señor, pequé, ten misericordia de mí, perdóname. Déjame, pues, que llore un poquito mi dolor, antes que vaya a la tierra tenebrosa y cubierta de oscuridad de muerte. ¿Qué es lo que pides principalmente al culpable y miserable pecador, sino que se convierta y se humille por sus pecados? De la verdadera contrición y humildad de corazón nace la esperanza del perdón, se reconcilia la conciencia turbada, repárase la gracia perdida, se defiende el hombre de la ira venidera, y se juntan en santa paz Dios y el alma contrita.

Señor, el humilde arrepentimiento de los pecados es para ti sacrificio aceptable, que huele más suavemente en tu presencia que el incienso. Éste es también el ungüento agradable que tú quisiste que se derramase sobre tus sagrados pies, porque nunca desechaste el corazón contrito y humillado. Allí está el lugar del refugio para el que huye de la ira del enemigo; allí se enmienda y limpia lo que en otro lugar se desmejoró y manchó.

CAPÍTULO LIII

La gracia de Dios no se mezcla con los que gustan de las cosas terrenas

Hijo, preciosa es mi gracia, no sufre mezcla de cosas extrañas ni de consolaciones terrenas. Conviene desviar todos los impedimentos de la gracia, si deseas recibir en ti su influencia. Busca lugar secreto para ti, huélgate de morar a solas contigo, no busques la conversación de ninguno, antes bien ora devotamente a Dios, para que te dé compunción de corazón y pureza de conciencia. Estima todo el mundo en nada, prefiere el vacar a Dios a todas las cosas exteriores, porque no podrás vacar a mí y juntamente deleitarte en lo transitorio. Conviene desviarte de conocidos y de amigos, y tener el alma privada de todo consuelo temporal. Así lo encarga el Apóstol San Pedro; que los fieles cristianos se contengan en este mundo, como advenedizos y peregrinos.

¡Oh cuánta confianza tendrá en la hora de la muerte, el que se siente que no le detiene cosa alguna de este mundo! Mas el alma flaca no entiende aún qué cosa es tener el corazón apartado de todas las cosas, ni el hombre animal conoce la libertad del hombre interior; mas si quiere ser verdaderamente espiritual, conviene que renuncie a los parientes y a los extraños, y que de ninguno se guarde más que de sí mismo. Si te vences a ti mismo perfectamente, todo lo demás sujetarás con facilidad. La perfecta victoria consiste en vencerse a sí mismo, porque el que se tiene sujeto de modo que la sensualidad obedezca a la razón, y la razón me obedezca a mí en todo, éste es verdaderamente vencedor de sí mismo y señor del mundo.

Si deseas subir a esta cumbre, conviene comenzar varonilmente, y poner la segur a la raíz, para que arranques y destruyas la desordenada inclinación que ocultamente tienes a ti mismo y a todo bien propio y material. De este amor desordenado que se tiene el hombre a sí mismo, depende casi todo lo que de raíz se ha de vencer; vencido y sujeto este amor luego hay gran sosiego y paz. Mas porque pocos trabajan en morir perfectamente a sí mismos, y del todo no salen de su propio amor, por eso se quedan envueltos en sus afectos, y no se pueden elevar sobre sí mismos en espíritu. Pero el que desea andar conmigo libremente, es necesario que mortifique todas sus malas y desordenadas inclinaciones, y que no se apegue a criatura alguna con amor de concupiscencia.

CAPÍTULO LIV

De los diversos movimientos de la naturaleza y de la gracia

Hijo, observa atentamente los movimientos de la naturaleza y de la gracia, porque muy contraria y sutilmente se mueven, de modo que con dificultad son conocidos sino por varones espirituales e interiormente iluminados. Todos desean el bien, y en sus dichos y hechos buscan alguna bondad; por eso muchos se engañan con color del bien.

La naturaleza no quiere morir de buena gana, ni quiere ser apremiada ni vencida, ni de grado sujeta ni sometida, mas la gracia trabaja en la propia mortificación, resiste a la sensualidad, quiere ser sujeta, desea ser vencida, no quiere usar de su propia libertad, huélgase de estar bajo de la disciplina, no codicia dominar a nadie sino vivir, servir y estar siempre bajo la mano de Dios, y por Dios está pronta a obedecer con toda humildad a cualquier criatura humana.

La naturaleza trabaja por su interés y atiende a la ganancia que le puede venir de otro; la gracia no considera lo que es útil y provechoso a sí, sino lo que aprovecha a muchos.

La naturaleza recibe de buena gana la honra y la reverencia; la gracia fielmente atribuye sólo a Dios toda honra y gloria.

La naturaleza teme la confusión y el desprecio, mas la gracia alégrase en sufrir injurias por el nombre de Jesús.

La naturaleza ama el ocio y la quietud corporal; mas la gracia no puede estar ociosa, antes abraza de buena voluntad el trabajo.

La naturaleza busca tener cosas curiosas y hermosas, y aborrece las viles y groseras; mas la gracia deléitase con cosas llanas y humildes, no desecha las ásperas, ni rehúsa el vestir ropas viejas.

La naturaleza mira lo temporal, gózase de las ganancias terrenas, entristécese del daño y enójase de una palabra injuriosa; mas la gracia mira las cosas eternas, no está apegada a lo temporal ni se turba cuando lo pierde, ni se aceda con las palabras ásperas; porque puso su tesoro y gozo en el cielo, donde ninguna cosa perece.

La naturaleza es codiciosa, y de mejor gana toma que da, y ama las cosas propias y particulares, mas la gracia es piadosa y común para todos, desdeña la singularidad, conténtase con lo poco y tiene por mayor felicidad el dar que recibir.

La naturaleza nos inclina a las criaturas, a la propia carne, a las vanidades y a las distracciones; mas la gracia nos lleva a Dios y a las virtudes, renuncia a las criaturas, huye del mundo, aborrece los deseos de la carne, refrena los pasos vagos y se avergüenza de parecer en público.

La naturaleza de buena gana toma cualquier consuelo exterior en que deleite sus sentidos; mas la gracia sólo en Dios se quiere consolar, y deleitarse en el sumo Bien sobre todo lo visible.

La naturaleza cuanto hace es por su propia comodidad y ganancia, no puede hacer cosa de balde, sino que espera alcanzar otro tanto o más alabanza o favor por el bien que ha hecho, y desea que sean sus obras y sus dádivas muy estimadas; mas la gracia ninguna cosa temporal busca, ni quiere otro premio sino sólo a Dios, y de lo temporal no quiere más que cuanto basta para conseguir lo eterno.

La naturaleza se alegra de los muchos amigos y allegados, gloríase de la nobleza del lugar y del linaje, lisonjea a los poderosos, halaga a los ricos y regocija a sus iguales; la gracia aún a los enemigos ama, y no blasona por los muchos amigos, ni estima el lugar ni el linaje donde viene, si no hay en ello mayor virtud; más favorece al pobre que al rico, tiene mayor compasión del inocente que del poderoso, alégrase con el veraz y no con el mentiroso, amonesta siempre a los buenos que sean mejores, y que por las virtudes imiten al Hijo de Dios.

La naturaleza luego se queja de la necesidad y del trabajo; la gracia sufre con constancia la pobreza.

La naturaleza convierte a sí todas las cosas, y por sí pelea y porfía; mas la gracia todo lo refiere a Dios, de donde originalmente dimanan; ningún bien se atribuye ni presume vanamente. No porfía ni prefiere su razón a la de los otros; mas en todo sentido y entendimiento se sujeta a la sabiduría eterna y al divino examen.

La naturaleza desea saber y oír novedades y secretos, y quiere mostrarse exteriormente y experimentar muchas cosas con los sentidos; desea ser conocida y hacer cosas de donde le proceda la alabanza y fama. Mas la gracia no cuida de entender cosas nuevas ni curiosas, porque todo esto nace de la corrupción antigua, porque no hay cosa nueva ni durable sobre la tierra. Enseña a recoger los sentidos, a evitar la ostentación y pompa vana, a esconder humildemente las cosas maravillosas y dignas de alabar, y buscar de todas las cosas y de toda ciencia fruto provechoso, alabanza y honra de Dios. No quiere que ella ni sus cosas sean pregonadas; mas desea que Dios sea glorificado en sus dones, que los da todos por puro amor.

Esta gracia es una luz sobrenatural, y un singularísimo don de Dios, y propiamente una señal de los escogidos, y prenda de la salvación eterna, que levanta al hombre de lo terreno a amar lo celestial, y de carnal lo hace espiritual. Así, que, cuanto más apremiada y vencida es la naturaleza, tanto le es infundida mayor gracia, y cada día es reformado el hombre interior según la imagen de Dios con nuevas visitaciones.

CAPÍTULO LV

De la corrupción de la naturaleza y de la eficacia de la gracia

Señor Dios mío, que me criaste a tu imagen y semejanza, concédeme esta gracia, la cual mostraste ser tan grande y necesaria para la salvación, para que yo pueda vencer mi naturaleza dañada, que me lleva a la perdición y a los pecados. Pues yo siento en mi carne la ley del pecado, que contradice a la ley de mi espíritu, me lleva cautivo a consentir en muchas cosas con la sensualidad, y no puedo resistir a sus pasiones si no me asiste tu santísima gracia, infundida con amor ardentísimo en mi corazón.

Menester es tu gracia, y muy gran gracia, para vencer la naturaleza, inclinada siempre a lo malo desde su juventud. Porque caída por el primer hombre Adán, y corrompida por el pecado, desciende en todos los hombres la pena de esta mancha; de suerte que la misma naturaleza, que fue criada por ti buena y recta, ya se cuenta por vicio y enfermedad de una naturaleza corrompida, porque el mismo movimiento suyo que le quedó, la arrastra a lo malo y a las cosas terrenas; pues una pequeña fuerza que le ha quedado es como una centellita escondida en la ceniza. Esta es la razón natural, cercada de grandes tinieblas, que tiene todavía un juicio libre del bien y del mal, y conoce la diferencia de lo verdadero y de lo falso, aunque no tiene fuerza para cumplir todo lo que le parece bueno, ni goza de la cumplida luz de la verdad, ni tiene puros sus afectos.

De aquí proviene, Dios mío, que yo, según el hombre interior, me deleito en tu ley, sabiendo que tu mandamiento es bueno, justo y santo; juzgando también que todo mal y pecado se debe huir. Mas con la carne sirvo a la ley del pecado, cuando obedezco más a la sensualidad que a la razón. De aquí es, que el querer lo bueno está en mí, mas no hallo poder para cumplirlo. De aquí procede, que propongo muchas veces hacer muchas obras buenas, mas como falta la gracia para ayudar a mi flaqueza, con poca contradicción vuelvo atrás y desfallezco. De aquí también viene, que conozco el camino de la perfección y veo claramente cómo lo debo seguir, mas agravado del peso de mi propia corrupción no me levanto a cosas más perfectas.

¡Oh Señor, cuán necesaria me es tu gracia para comenzar el bien, para aprovechar en él y perfeccionarlo! Porque sin ella ninguna cosa puede puedo hacer; mas en ti todo lo puedo confortado con la gracia. ¡Oh gracia verdaderamente celestial, sin la cual son ningunos los merecimientos propios, ni se han de estimar en algo los dones naturales! Ni las artes, ni las riquezas, ni la hermosura, ni la fortaleza, ni el ingenio o la elocuencia valen delante de ti, Señor, sin la gracia. Porque los dones naturales son comunes a los buenos y a los malos, mas la gracia y la caridad es el don propio de los escogidos, con la cual señalados, son dignos de la vida eterna. Tan encumbrada es esta gracia, que ni el don de la profecía, ni la operación de milagros, ni la más alta contemplación es estimado en algo sin ella. Aun más digo, que ni la fe, ni la esperanza, ni las otras virtudes son aceptas a ti, sin caridad y gracia.

¡Oh beatísima gracia, que haces al pobre de espíritu rico en virtudes, y al rico en lo temporal vuelves humilde de corazón! Ven, desciende a mí, y lléname de tu consolación desde muy de mañana, para que no desmaye mi alma de cansancio y sequedad de corazón. Suplícote, Señor, que halle gracia en tus ojos pues de verdad me basta, aunque me falte lo demás que la naturaleza desea. Si fuere tentado y atormentado de muchas tribulaciones, no temeré los males estando tu gracia conmigo. Ella es mi fortaleza, ella me da consejo y favor. Ella es más poderosa que todos los enemigos y mucho más sabia que cuantos saben.

Maestra es de la verdad, enseña la disciplina, ilumina el corazón, consuela en los trabajos, destierra la tristeza, quita el temor, aumenta la devoción, produce dulces lágrimas. ¿Qué soy yo sin ella, sino un madero seco y un tronco sin provecho? ¡Oh Señor! prevéngame pues tu gracia siempre, acompáñeme siempre y hágame estar continuamente aplicado a las buenas obras, por Jesucristo Hijo tuyo. Amén.

CAPÍTULO LVI

Que debemos negarnos a nosotros mismos, y seguir a Cristo por la Cruz

Hijo, cuanto puedes salir de ti, tanto puedes pasarte a mí. Así como no desear nada de lo exterior hace la paz interior, así la negación y desprecio interior produce la unión con Dios. Yo quiero que aprendas la perfecta abnegación de ti mismo en mi voluntad, sin contradicción ni queja. Sígueme; yo soy camino, verdad y vida. Sin camino no se anda, sin verdad no se conoce, sin vida no se vive. Yo soy el camino que no se puede violar, la verdad infalible, la vida interminable.

Yo soy camino muy derecho, la verdad suma, la vida verdadera, la vida bienaventurada, la vida increada.

Si permanecieres en mi camino conocerás la verdad, y la verdad te librará, y alcanzarás la vida eterna.

Si quieres entrar a la vida, guarda los mandamientos. Si quieres conocer la verdad créeme. Si quieres ser perfecto vende cuanto tienes. Si quieres ser mi discípulo, niégate a ti mismo. Si quieres poseer la vida bienaventurada, desprecia ésta presente. Si quieres ser ensalzado en el cielo, humíllate en el mundo. Si quieres reinar conmigo, lleva la cruz conmigo; porque sólo los siervos de la cruz hallan el camino de la bienaventuranza y de la luz verdadera.

Señor Jesús, pues que tu camino es estrecho y despreciado en el mundo, concédeme imitarte en el desprecio del mundo, que no es mayor el siervo que su señor, ni el discípulo que el maestro. Ejercítese tu siervo en tu vida, que en ella está mi salud y la santidad verdadera. Cualquier cosa que fuera de ella oigo o leo, no me recrea no satisface del todo.

Hijo, pues sabes todo esto, y lo has leído, si lo hicieres serás bienaventurado. El que abraza mis mandamientos y los guarda, ése es el que me ama, y yo le amaré, y me manifestaré a él, y le haré asentar conmigo en el reino de mi Padre.

Señor Jesús, como lo dijiste y prometiste, así dame tu gracia para que lo merezca. Recibí de tu mano la cruz, la llevaré, y la llevaré hasta la muerte, así como tú me la pusiste. Verdaderamente la vida del buen monje es cruz que guía al paraíso. Ya hemos comenzado, no se debe volver atrás, ni conviene dejarla.

Ea, hermanos, vamos juntos; Jesús será con nosotros. Por Jesús hemos tomado esta cruz, por Jesús perseveremos en la Cruz. Jesús que es nuestro capitán y adalid, será nuestro ayudador. Mirad que nuestro Rey va delante de nosotros, que peleará por nosotros. Sigámosle varonilmente, ninguno tenga miedo a los terrores; estemos preparados a morir con valor en la batalla, y no pongamos un borrón a nuestra gloria huyendo de la cruz.

CAPÍTULO LVII

No debe acobardarse demasiado el que cae en algunas faltas

Hijo, más me agrada la paciencia y humildad en lo adverso, que el mucho consuelo y devoción en lo próspero. ¿Por qué te entristece una pequeña cosa hecha o dicha contra ti? Aunque fuera cosa mayor, no debías perturbarte; mas ahora déjala pasar, porque no es lo primero, ni nuevo, ni será lo postrero si mucho vivieres. Harto esforzado te muestras cuando ninguna cosa contraria te sucede. Aconsejas bien y sabes alentar a otros con palabras; mas cuando viene a tu puerta alguna repentina tribulación, luego te falta consejo y esfuerzo. Mira tu gran flaqueza, pues la vez por experiencia aun en muy ligeros acaecimientos; mas sábete que se hace por tu salud, cuando estas cosas y otras semejantes acaecen.

Pon en mí tu corazón como mejor supieres; si te tocare la tribulación, a lo menos no te derribe, ni te embarace mucho tiempo. Sufre a lo menos con paciencia si no puedes con alegría. Y si oyes algo contra razón, y sientes alguna indignación, refrénate, y no dejes salir de tu boca alguna palabra desordenada que escandalice a los débiles. Presto se amansará el ímpetu que en tu corazón se levantó, y el dolor interior se volverá en dulzura volviendo la gracia. Yo vivo aun, dice el Señor, dispuesto para ayudarte y consolarte más de lo acostumbrado, si confías en mí y me llamas con devoción.

Sosiega tu alma y apercíbete para trances mayores. Aunque te veas muchas veces atribulado, o gravemente tentado, no está todo perdido. Hombre eres y no Dios; carne eres y no ángel. ¿Cómo podrás tú estar siempre en un mismo estado de virtud, pues esto faltó al ángel en el cielo y al primer hombre en el paraíso? Yo soy el que levanta con salud a los que lloran y traigo a mi divinidad los que conocen su flaqueza.

Señor, bendita sea tu palabra, dulce para mi boca más que la miel y el panal. ¿Qué haría yo en tantas tribulaciones y angustias, si tú no me animases con tus santas palabras? Llegando yo, pues, al puerto de la salvación, ¿qué se me da de cuanto hubiere padecido? Dame buen fin; dame un feliz tránsito de este mundo. Dios mío, acuérdate de mí, y guíame por camino derecho a tu reino. Amén.

CAPÍTULO LVIII

No se deben escudriñar las cosas altas, y los ocultos juicios de Dios

Hijo, guárdate de disputar de cosas altas y de los secretos juicios de Dios; por qué uno es desamparado y otro tiene tantas gracias; por qué está uno muy afligido y otro tan altamente ensalzado. Estas cosas exceden a toda humana capacidad y no basta razón ni disputa alguna para investigar el juicio divino. Por eso, cuando el enemigo te trajere esto al pensamiento, o algunos hombres curiosos lo preguntaren, responde aquello del Profeta: *Justo eres, Señor, y recto tu juicio*; y aquello que dice: *Los juicios del Señor, verdaderos son y justificados en sí mismos*. Mis juicios han de ser temidos, no examinados, porque no se comprenden con entendimiento humano.

Tampoco te pongas a inquirir o disputar de los merecimientos de los santos, cuál sea más santo o mayor en el reino del cielo. Estas cosas muchas veces causan contiendas y disensiones sin provecho; alimentan también la soberbia y la vanagloria, de donde nacen envidias y discordias, cuando quiere uno imprudentemente preferir a un santo, y otro a otro. Querer saber e inquirir tales cosas, ningún fruto produce, antes desagrada mucho a los santos; porque yo no soy Dios de discordias, sino de paz, la cual consiste más en la verdadera humildad, que en la propia exaltación.

Algunos con celo de amor se aficionan a unos santos más que a otros; pero esto, más nace de afecto humano que divino. Yo soy el que crié a todos los santos, yo les di la gracia, yo les he dado la gloria, yo sé los méritos de cada uno, yo les previne con bendiciones de mi dulzura, yo conocí mis amados antes de los siglos, yo los escogí del mundo y no ellos a mí, yo los llamé por gracia, los traje por misericordia, yo los llevé por diversas tentaciones, yo les envié grandísimas consolaciones, yo les di perseverancia, yo coroné su paciencia.

Yo conozco al primero y al último, yo los abrazo a todos con amor inestimable, yo he de ser alabado en todos mis santos, yo he de ser bendecido sobre todas las cosas, y debo ser honrado en cada uno de cuantos he engrandecido gloriosamente y predestinado, sin preceder algún merecimiento suyo. Por eso, quien despreciare a uno de mis pequeñuelos no honra al grande, porque yo hice al grande y al pequeño. Y el que quisiere deprimir a alguno de los santos, a mí me deprime y a todos los demás en el reino de los cielos. Todos son una misma cosa por el vínculo de la caridad, todos son de un voto, todos de un querer, todos se aman en uno.

Y lo que es sobre todo, que me aman a mí más que a sí y a sus merecimientos; porque levantados sobre sí, y libres de su amor propio, se pasan del todo al mío, en el cual descansan con mucho gozo. No hay cosa que los pueda apartar ni desviar, porque llenos de la verdad eterna, arden en el fuego inextinguible de la caridad. Callen, pues los hombres carnales y animales, y no disputen del estado de los santos, pues no saben amar sino sus deleites privados. Quitan y ponen a su parecer, y no como agrada a la eterna Verdad.

Muchos hay llenos de ignorancia, mayormente los poco iluminados, que rara vez saben amar a alguno con amor espiritual perfecto. Y aun los lleva mucho el afecto natural y la amistad humana, a que se inclinen más a unos que a otros; y así como juzgan de las cosas terrenas, así juzgan de las celestiales. Mas hay grandísima diferencia entre lo que piensan los hombres imperfectos, y lo que saben los varones iluminados por la revelación de lo alto.

Guárdate, pues, hijo, de tratar curiosamente de estas cosas que exceden tu saber; trabaja más en esto, y mira que puedas ser siquiera el menor en el reino de Dios. Y aunque uno supiese cuál es más santo que otro, o el mayor en el reino de los cielos ¿qué le aprovecharía saberlo, si no se humillase delante de mí por este conocimiento, y se levantase a alabar más mi nombre? Mucho más agradable es a Dios el que piensa la gravedad de sus propios pecados, y la poquedad de sus virtudes, y cuán lejos está de la perfección de los santos, que el que porfía cuál sea mayor o menor. Mejor es rogar a los santos con devotas oraciones y lágrimas, y con humilde corazón invocar su intercesión, que con vana pesquisa escudriñar sus secretos.

Ellos están bien y muy contentos, si los hombres supiesen contentarse, sosegar y refrenar sus vanas lenguas. No se glorían de sus propios merecimientos, pues que ninguna cosa buena se atribuyen a sí mismos, sino a todo a mí, porque yo les di todo cuanto tienen por mi infinita bondad. Llenos están de todo amor de la divinidad, y de tal abundancia de gozos, que ninguna gloria les falta, ni les puede faltar felicidad alguna. Todos los santos cuanto más altos están en la gloria, tanto más humildes son en sí mismos, y están más cercanos a mí, y son de mí más amados. Por lo cual dice la Escritura, *que abatían sus coronas delante de Dios, y se postraron, y cayeron sobre sus rostros delante del Cordero, y adoraron al que vive sin fin.*

Muchos preguntan quién es mayor en el reino de Dios, que no saben si serán dignos de ser contados con los menores. Gran cosa es ser en el cielo siquiera el menor, donde todos son grandes, porque todos se llamarán hijos de Dios, y lo serán. *El menor valdrá por mil, y el pecador de cien años morirá.* Pues cuando preguntaron los discípulos, quién fuese mayor en el reino de los cielos, oyeron esta respuesta: *Si no os volvieseis y os hicieseis como niños, no entraréis en el reino de los cielos. Por eso, cualquiera que se humillare como este niño, aquél es el mayor en el reino de los cielos.*

¡Ay de aquéllos que se desdeñan de humillarse de voluntad con los niños; porque la humilde puerta del reino celestial no les dejará entrar! ¡Ay también de los ricos que tienen aquí sus consuelos, porque cuando entraren los pobres en el reino de Dios quedarán ellos fuera llorando! Gozaos, humildes, y alegraos, pobres, que vuestro es el reino de Dios, si andáis en verdad.

CAPÍTULO LIX

Toda la esperanza y confianza se debe poner en sólo Dios

Señor, ¿qué confianza tengo yo en esta vida? ¿O cuál es mi mayor contento de cuantos hay debajo del cielo, sino tú, Señor, mi Dios, cuyas misericordias no tienen número? ¿Adónde me fue bien sin ti? ¿O cuándo me pudo ir mal estando tú presente? Más quiero ser pobre por ti, que rico sin ti. Por mejor tengo peregrinar contigo en la tierra, que poseer sin ti en el cielo. Donde tú estás allí es el cielo, y donde no estás allí es la muerte y el infierno. A ti deseo, y por esto me es necesario dar gemidos y voces en seguimiento tuyo. En fin, yo no puedo confiar cumplidamente en alguno que me ayude con más oportunidad en las necesidades, sino en ti solo, Dios mío. Tú eres mi esperanza y mi confianza, tú mi consolador, y muy fiel en todas las cosas.

Todos buscan sus intereses, tú buscas solamente mi salud y mi aprovechamiento, y todas las cosas me conviertes en bien. Aunque algunas veces me exponga a diversas tentaciones y adversidades, todo lo ordenas para mi provecho, porque sueles de mil modos probar a tus escogidos. No menos debes ser amado y alabado cuando me pruebas, que si me colmases de consolaciones celestiales.

En ti, pues, Señor Dios, pongo yo toda mi esperanza y mi refugio, en ti pongo toda mi tribulación y angustia, porque todo lo que miro fuera de ti, todo lo veo flaco y deleznable. Porque no me aprovecharán los muchos amigos, ni me podrán ayudar los defensores valientes, ni los consejeros discretos me darán respuesta provechosa, ni los libros de los doctos me podrán consolar, ni algún lugar retirado y seguro defender, si tú mismo no estás presente, y me ayudas, me esfuerzas, consuelas, enseñas y guardas.

Porque todo lo que parece algo para ganar la paz y la felicidad, es nada si tú estás ausente, ni da en verdad felicidad alguna. Tú, pues, eres fin de todos los bienes, y alteza de la vida, y abismo de las palabras, y esperar en ti sobre todo, es grandísima consolación para tus siervos. A ti, Señor, levanto mis ojos, en ti confío, Dios mío, Padre de misericordias. Bendice y santifica mi alma con bendición celestial, para que sea morada santa tuya, y silla de tu gloria eterna, y no haya en el templo de tu dignidad, cosa que ofenda los ojos de su Majestad. Mírame según la grandeza de tu bondad, y según la multitud de tus misericordias, y oye la oración de este pobre siervo tuyo, desterrado tan lejos en la región de la sombra de la muerte. Defiende y conserva el alma de éste tu pequeño esclavo, entre tantos peligros de esta vida corruptible; y acompañándola tu gracia, guíala por la carrera de la paz a la patria de la perpetua claridad. Amén.

LIBRO CUARTO

Amonestaciones para recibir la sagrada Comunión del cuerpo de Jesucristo nuestro Señor

CAPÍTULO I

Con cuánta reverencia se ha de recibir a Cristo nuestro Señor

Cristo, verdad eterna, éstas son tus palabras, aunque no fueron pronunciadas en un tiempo ni escritas en un mismo lugar. Y pues son palabras tuyas, fielmente y muy de grado las debo yo recibir. Tuyas son, tú las dijiste, y mías son también, pues las dijiste por mi salud. Muy de grado las recibo de tu boca, para que sean más estrechamente injeridas en mi corazón.

Despiértanme palabras de tanta piedad, llenas de dulzura y de amor; mas, por otra parte, mis pecados me espantan, y mi mala conciencia me retrae de recibir tan altos misterios. La dulzura de tus palabras me convida, mas la multitud de mis vicios me desvía.

Me mandas que me llegue a ti con buena confianza si quisiere tener parte contigo, y que reciba el manjar de la inmortalidad si deseo alcanzar vida y gloria. Tú, Señor, dices: *Venid a mí todos los que trabajáis y estáis cargados, y yo os recrearé.* ¡Oh dulce y amigable palabra en la oreja del pecador, que tú, Señor Dios mío, convidas al pobre y al mendigo a la comunión de tu sacratísimo cuerpo!

Mas ¿quién soy yo, Señor, que presuma llegar a ti? Veo, Señor, que en los cielos de los cielos no cabes, ¡y tú dices: Venid a mí todos! ¿Qué quiere decir esta tan piadosa misericordia, y este tan amigable convite? ¿Cómo osaré ir, que no me conozco cosa buena? ¿De qué puedo presumir? ¿Cómo te pondré en mi casa, viendo que tantas veces ofendí tu benignísima cara? Los ángeles y arcángeles tiemblan, los santos y justos temen, ¡y tú dices: Venid a mí todos! Si tú, Señor, no dijeses esto, ¿quién osaría creerlo? Y si tú no lo mandases, ¿quién osaría llegarse a ti?

Veo que Noé, varón justo, trabajó cien años en fabricar un arca para guarecerse con pocos; pues ¿cómo podré yo en una hora aparejarme para recibir con reverencia al que fabricó el mundo?

Moisés, tu gran siervo y tu amigo especial, hizo el arca de madera incorruptible, y la guarneció de oro muy puro para poner en ella las tablas de la ley; y yo, criatura podrida, ¿osaré recibir tan fácilmente a ti, hacedor de la ley y dador de la vida? Salomón, que fue el más sabio de los reyes de Israel, en siete años edificó a loor de tu nombre un magnífico templo y celebró ocho días las fiesta de su dedicación, y ofreció mil sacrificios pacíficos, y asentó con muchas solemnidad el arca del Testamento, con trompas y regocijos, en el lugar que estaba aparejado; y yo, miserable, el más pobre de los hombres, ¿cómo te meteré en mi casa, que dificultosamente gasto con devoción una hora? Y aun pluguiese a ti, Dios mío, que alguna vez fuese media.

¡Oh Dios mío y cuánto estudiaron aquéllos por agradarte! Y ¡ay de mí, cuán poquito es lo que yo hago, cuán poco tiempo gasto en aparejarme para la comunión! Pocas veces estoy del todo recogido, y muy menos de toda distracción alimpiado. Por cierto, en la presencia saludable de tu deidad no me debería ocurrir pensamiento alguno superfluo, ni me habría de ocupar criatura alguna; porque no voy a recibir en mi aposento algún ángel, mas al Señor de los ángeles.

Y aún más, que hay muy grandísima diferencia entre el arca del Testamento, con sus reliquias, y tu preciosísimo y purísimo cuerpo, con sus inefables virtudes; y entre los sacrificios de la vieja ley, que figuraban los venideros, y el verdadero sacrificio de tu cuerpo, que es el cumplimiento de todos los sacrificios.

Y pues así es, ¿por qué yo no me enciendo más en tu venerable presencia? ¿Por qué no me aparejo con mayor cuidado para recibirte a ti en el sacramento, pues aquellos antiguos santos patriarcas y profetas, y los reyes y príncipes con todo el pueblo mostraron tanta devoción al culto divino? El devotísimo rey David bailó con todas sus fuerzas ante el arca de Dios, y acordándose de los beneficios otorgados a los padres en el tiempo pasado, hizo órganos de diversas maneras, y compuso salmos, y ordenó que se cantasen, y aun él mismo con alegría los cantó muchas veces en su arpa, inspirado de la gracia del Espíritu Santo, y enseñó al pueblo de Israel a loar a Dios de todo corazón, y bendecidlo, y predicarle cada día en consonancia de voces.

Pues si tanta era entonces la devoción, y tanta fue la memoria del divino loor delante del arca del Testamento, ¡cuánta reverencia y devoción debo yo tener y todo el pueblo cristiano en presencia del sacramento, en la comunión del excelentísimo cuerpo de Cristo! Muchos corren a diversos lugares por visitar reliquias de santos, y maravíllanse de oír sus milagros; miran los grandes edificios de los templos, besan los sagrados huesos guardados en oro y seda, ¡y estás tú aquí presente delante de mí en el altar, Dios mío, Santo de los santos, criador de todas las cosas, Señor de los ángeles, y aún no te miro con devoción!

Muchas veces la curiosidad de los hombres y la novedad de las cosas que van a ver es ocasión de ir a visitar cosas semejantes, y de ello traen poco fruto de enmienda, mayormente cuando con liviandad andan de acá para allá sin contrición verdadera. Mas aquí, en el sacramento del altar, enteramente estás tú presente, Señor mío, Dios hombre, Jesucristo, en el cual sacramento se recibe copioso fruto de eterna salud todas las veces que te recibieren digna y devotamente. Y a esto no nos trae alguna liviandad, o curiosidad, ni sensualidad, mas la firme fe, esperanza devota y pura caridad.

¡Oh Dios invisible, Criador del mundo, cuán maravillosamente lo haces con nosotros, cuán suave y graciosamente lo ordenas con tus escogidos, a los cuales te ofreces en este sacramento para que te reciban! Esto en verdad excede todo entendimiento. Esto especialmente atrae los corazones devotos y enciende los afectos. Y los mismos verdaderos fieles tuyos, que toda su vida ordenan para enmendarse, de este sacramento dignísimo reciben continuamente grandísima gracia de devoción y amor de virtud.

¡Oh admirable gracia, escondida en este sacramento, la cual conocen solamente los fieles cristianos, mas los infieles y los que en pecados están no la pueden gustar! En este sacramento se da gracia especial, y se repara en el ánima la virtud perdida, y se torna la hermosura afeada por el pecado. Y tanta es algunas veces esta gracia, que del cumplimiento de la devoción que se da, no sólo el ánima, mas aun el cuerpo flaco siente haber recibido fuerzas mayores.

Por eso es muy mucho de llorar nuestra tibieza y negligencia, que no vamos con vivo fervor a recibir a Cristo, en el cual consiste toda la esperanza y el mérito de los que se han de salvar.

Porque él es nuestra santificación y redención, él es la consolación de los que caminan y eterno gozo de los santos. Así que mucho es de llorar el descuido que muchos tienen en este tan salutífero sacramento, que alegra el cielo y conserva el universo mundo.

¡Oh ceguedad y dureza del corazón humano, que tan poco mira a tan inefable don, antes de la mucha frecuencia ha venido a mirar menos en él!

Por cierto, si este sacratísimo sacramento se celebrase en un solo lugar, y se consagrase por un solo sacerdote en el mundo, maravilla sería con cuánta afición irían los hombres a aquel lugar y a ver a aquel sacerdote de Dios, para oírlo celebrar los divinos misterios. Mas ahora hay muchos sacerdotes, y ofrécese Cristo en muchos lugares, para que tanto se muestre mayor la gracia y amor de Dios al hombre cuanto la sagrada comunión es más liberalmente extendida por el mundo.

Gracias se hagan a ti, buen Jesús, pastor eterno, que tuviste por bien de recrear a nosotros, pobres y desterrados, con tu precioso cuerpo y sangre, y también convidarnos con palabras de tu propia boca a recibir tus divinos misterios, diciendo: *Venid a mí todos los que trabajáis y estáis cargados, que yo os recrearé.*

CAPÍTULO II

Que se da al hombre en el Sacramento la gran bondad y caridad de Dios

Señor, confiando en tu bondad y en tu gran misericordia, vengo enfermo al Salvador, hambriento y sediento a la fuente de la vida, pobre al Rey del cielo, siervo al Señor, criatura al Criador, desconsolado a mi piadoso consolador. Mas ¿dónde a mí tanto bien que tú vengas a mí? ¿Quién soy yo para que te me des a ti mismo? ¿Cómo osa el pecador parecer ante ti? Y ¿cómo tú tienes por bien de venir al pecador? Tú conoces a tu siervo, y sabes que ningún bien hay en el porque merezca que tú le hagas tan grandísima merced. Yo confieso, Señor, mi vileza, y reconozco tu bondad; loo tu piedad, gracias te hago por tu excelentísima caridad.

Por cierto por ti mismo haces todo esto, no por mis merecimientos, mas porque tu bondad me sea más manifiesta y me sea comunicada mayor caridad, y la humildad sea loada más cumplidamente. Y pues así te place, Señor, y así lo mandaste hacer, también me agrada a mí que tú hayas tenido por bien. Plégate, Señor, que no lo impida mi maldad. ¡Oh dulcísimo y benignísimo Jesús, cuánta reverencia y gracia con perpetua alabanza te son debidas por la comunión de tu sacratísimo cuerpo, cuya dignidad ninguno se halla que la pueda explicar!

Mas querría saber: ¿qué pensaré en esta comunión, cuando me quiero llegar a ti, Señor, pues no te puedo honrar debidamente, y deseo recibirte con devoción? ¿Qué cosa mejor y más saludable pensaré, sino humillarme del todo ante ti y ensalzar tu infinita bondad sobre mí? Despréciome y sujétome a ti en el abismo de mi vileza. Tú eres el Santo de los santos, y yo el más vil de los pecadores, e inclínaste a mí, que no soy digno de alzar los ojos a ti.

Veo, Señor, que tú vienes a mí y quieres estar conmigo, tú me convidas a tu mesa y me quieres dar a comer el manjar celestial, el pan de los ángeles, que no es otra cosa, por cierto, sino tú mismo, pan vivo que descendiste del cielo y das vida al mundo. He aquí, Señor, de dónde procede este amor y se declara que lo tienes por bien. Esta bondad tuya, Señor, es la causa por que tal amor nos tienes y por que tan gran benignidad nos muestras.

¡Cuán grandes gracias y loores se te deben por tales mercedes! ¡Oh cuán saludable fue tu consejo cuando ordenaste este altísimo sacramento! ¡Cuán suave y alegre convite cuando a ti mismo te diste en manjar! ¡Oh cuán admirable es tu obra, Señor, cuán poderosa tu virtud, cuán inefable tu verdad! Por cierto, tú dijiste, y fue hecho todo el mundo; así esto es hecho porque tú mismo lo mandaste.

Maravillosa cosa y digna de creer, y que vence todo humano entendimiento, que tú, Señor Dios mío, verdadero Dios y hombre, eres contenido enteramente debajo de la especie de aquel poco de pan y vino, y sin detrimento eres comido por el que te recibe. Tú, Señor de todos, que no tienes necesidad de alguno, quisístete morar en nosotros por éste tu sacramento. Conserva mi corazón sin mácula, porque pueda muchas veces con limpia y alegre conciencia celebrar tus misterios y recibirlos para mi perpetua salud, los cuales ordenaste y estableciste, Señor, principalmente para honra tuya y memoria continua de tu pasión.

Alégrate, ánima mía, y da gracias a Dios por tan noble don y tan singularísimo refrigerio como te fue dejado en este valle de lágrimas. Porque cuantas veces te acuerdas de este misterio y recibes el cuerpo de Cristo tantas representas la obra de tu redención y te haces particionera de todos los merecimientos de Jesucristo; porque la caridad de Cristo nunca se apoca, y la grandeza de su misericordia nunca se gasta.

Por eso débeste disponer siempre a esto con nueva devoción de ánima y pensar con atenta consideración este gran misterio de salud. Y así te debe parecer tan grande, tan nuevo y alegre cuando celebras u oyes misa, como si fuese el mismo día en que Cristo descendió y se hizo hombre en el vientre de la Virgen, o aquél en que puesto en la cruz, padeció y murió por la salud de los hombres.

CAPÍTULO III

Que es cosa provechosa comulgar muchas veces

Vesme aquí, Señor, vengo a ti porque me vaya bien con este don tuyo y se alegre en tu santo convite, que tú, Dios mío, aparejaste con dulzura para el pobre. En ti está todo lo que yo puedo y debo desear. Tú eres mi salud y redención, mi esperanza y fortaleza, mi honra y mi gloria. Pues alegra, Señor, hoy el ánima de tu siervo, que a ti, Señor Jesús, he yo levantado mi ánima. Ahora te deseo yo recibir con devoción y reverencia; codicio, Señor, meterte en mi casa, de manera que merezca yo, como Zaqueo, ser bendito de ti y contado entre los hijos de Abrahán. Mi ánima desea recibir tu sagrado cuerpo, y mi corazón desea ser unido contigo. Date, Señor, a mí, y basta; porque sin ti ninguna consolación satisface. Sin ti no puedo ser y sin tu visitación no puedo vivir; por eso me conviene llegarme a ti muchas veces y recibirte para remedio de mi salud, porque no desmaye en el camino si fuere privado de este celestial manjar.

Porque tú, benignísimo Jesús, predicando a los pueblos y curando diversas enfermedades, dijiste: *No quiero consentir que se vayan ayunos, porque no desmayen en el camino.* Haz, pues, ahora conmigo de esta manera, pues te dejaste en el sacramento para consolación de los fieles. Tú eres suave hartura del ánima, y quien te comiere dignamente, participante y heredero será de la eterna gloria.

Necesario es a mí, por cierto, que tanto trabajo, y tantas veces peco, y tan presto me hago torpe y desmayo, que por muchas oraciones, y confesiones, y por la sagrada comunión me renueve, y me alimpie y me encienda. Porque, absteniéndome de comulgar mucho tiempo, podría ser que cayese del santo propósito. *Los sentidos del hombre inclinados son al mal desde su mocedad*, y, si no socorre la medicina divina, luego cae el hombre en lo peor.

Así que la santa comunión retrae del mal y conforta en lo bueno. Y si comulgando y celebrando soy tan negligente y tibio, ¿qué haría si no tomase tal medicina y si no buscase remedio tan grande? Y aunque no estoy aparejado para celebrar cada día, yo trabajaré de recibir los misterios divinos en los tiempos convenibles, y hacerme he participante de tanta gracia. Porque ésta es una principalísima consolación del ánima fiel en el tiempo de esta peregrinación, que acordándose muchas veces de su Dios, reciba devotamente a su amado.

¡Oh maravillosa voluntad de tu piedad para con nosotros, que tú, Señor Dios, Criador y vida de todos los espíritus, tienes por bien de venir a una pobrecilla ánima y hartar su hambre con toda tu divinidad y humanidad! ¡Oh dichoso espíritu, oh bendita ánima que merece recibir con devoción a ti, Seños Dios suyo, y ser llena de gozo espiritual en tu recibimiento! ¡Oh cuán gran señor recibe! ¡Oh cuán amado huésped aposenta! ¡Cuán hermoso y noble esposo abraza, más de amar que todo lo que se puede amar ni desear!

¡Oh muy dulce amado mío!, callen en tu presencia el cielo, la tierra y todo su arreo, porque todo lo que tienen de loar y de mirar, de la bondad de tu franqueza es, y nunca llegarán a tu hermosura, cuya sabiduría no tiene cuento.

CAPÍTULO IV

Que se otorgan muchos bienes a los que devotamente comulgan

Señor Dios mío, anticipa a tu siervo con bendiciones de tu dulzura, porque merezca llegar digna y devotamente a tu magnífico sacramento. Despierta mi corazón en ti y despójame de la pesadumbre del cuerpo; visítame en tu salud para que guste en espíritu tu suavidad, la cual está escondida en este sacramento muy cumplidamente, así como en fuente.

Alumbra también mis ojos para que pueda mirar tan alto misterio, y esfuérzame para creerlo con firmísimo fe. Porque esto, Señor, obra tuya es, y no humano poder. Es sagrada ordenación tuya, y no invención de hombres. No hay, por cierto, ni se puede hallar alguno suficiente por sí para entender cosas tan altas, que aun a la sutileza angélica exceden. Pues yo pecador indigno, tierra y ceniza, ¿qué podré escudriñar y entender de tan altísimo sacramento?

Señor, en simplicidad de corazón, en buena y firme fe y por tu mandato vengo a ti con esperanza y reverencia, y creo verdaderamente que estás presente aquí en este sacramento, Dios y hombre. Y pues quieres, salvador mío, que yo te reciba y que me ayunte a ti en caridad, suplico a tu clemencia y demando me sea dada una muy especialísima gracia para que todo me derrita en ti y rebose de amor, y que no cure más de otra alguna consolación.

Por cierto, este altísimo y dignísimo sacramento es salud del ánima y del cuerpo, y medicina de toda enfermedad espiritual; con él se curan mis vicios, refrénanse mis pasiones, las tentaciones se vencen y disminuyen, dase mayor gracia, la virtud comenzada crece, confírmase la fe, esfuérzase la esperanza, enciéndese la caridad y extiéndese.

De verdad, Señor, muchos bienes has dado y siempre das en este dulcísimo sacramento a los que te aman, cuando te reciben, Dios mío, recibidor de mi ánima, reparador de la humana enfermedad y dador de toda interior consolación: que tú les infundes gran consuelo y fortaleza contra diversas tribulaciones, y de lo profundo de su propio desprecio los levantas a la esperanza de tu defensión, y con una nueva gracia los recreas y alumbras de dentro; porque los que antes de la comunión se habían sentido congojosos y sin devoción, después, recreados con manjar y beber celestial, se hallan muy mejorados.

Y esto, Señor, haces así con tus escogidos, porque conozcan verdaderamente, y manifiestamente experimenten que no tienen nada de sí, y sientan la bondad y gracia que de ti alcanzan, porque de sí mismos merecen ser fríos, duros, indevotos; mas de ti, Señor, alcanzan ser fervientes, alegres y devotos.

¿Quién llega con humildad a la fuente de la suavidad que no traiga algo de la suavidad? ¿O quién está cerca de algún gran fuego que no reciba algún calor? Y tú, Señor, fuente eres siempre llena y muy abundosa, fuego que continuo arde y nunca desfallece. Por tanto, si no me es lícito sacar del henchimiento de la fuente, ni beber hasta hartarme, pondré siquiera mi boca al agujero de algún cañito celestial, para que a lo menos reciba de allí alguna gotilla para refrigerar mi sed, porque no me seque del todo. Y si no puedo del todo ser celestial, ni puedo abrasarme como los serafines, trabajaré a lo menos de darme a la oración y aparejaré mi corazón para buscar siquiera una pequeña centella del divino entendimiento, mediante la humilde comunión de este sacramento que da vida.

Todo lo que me falta, buen Jesús, Salvador santísimo, súplelo tú benigna y graciosamente por mí, pues tuviste por bien llamar a todos, diciendo: *Venid a mí todos los que trabajáis y estáis cargados, y yo os recrearé.*

Yo, Señor, por cierto, trabajo y estoy atormentado con sudor de mi rostro y con dolor de corazón; cargado estoy de pecados, y combatido de tentaciones, envuelto y agravado, no hay quien me libre y salve sino tú, Señor Dios, Salvador mío. A ti me encomiendo con todas mis cosas, para que me guardes y lleves a la vida eterna. Recíbeme para gloria y honra de tu santo nombre. Tú, Señor, que me aparejaste tu cuerpo y sangre en manjar y en beber, otórgame, Señor, salvador mío, que crezca el afecto de mi devoción con la continuación de este tu misterio.

CAPÍTULO V

De la dignidad del sacramento y del estado sacerdotal

Aunque tuvieses la pureza de los ángeles y la santidad de San Juan Bautista, no serías digno de recibir ni tratar este santísimo sacramento, porque no cabe en humano merecimiento que el hombre consagre y trate el sacramento de Cristo y coma el pan de los ángeles.

Grande es este misterio, y grande la dignidad de los sacerdotes, a los cuales es dado lo que no es concedido a los ángeles: que sólo los sacerdotes ordenados en la Iglesia derechamente tienen poder de celebrar y consagrar el cuerpo de Jesucristo, y el sacerdote es ministro de Dios, y usa de palabras de Dios por el mandamiento y ordenación de Dios; mas Dios es allí el principal autor y obrador invisible, al cual está sujeta cualquier cosa que quisiere, y le obedece a todo lo que mandare.

Y así, más debes creer a Dios todopoderoso en este excelentísimo sacramento que a tu propio sentido o alguna señal visible. Y por eso, con temor y gran reverencia debe el hombre llegar a este sacramento.

Mira, pues, sacerdote, qué oficio te han encomendado por mano del obispo; mira cómo eres ordenado y consagrado para celebrar. Mira ahora que muy fielmente y con devoción ofrezcas a Dios el sacrificio en su tiempo y te conserves sin represión. Mira que no has aliviado tu carga, mas con mayor y más estrecha caridad estás atado y a mayor perfección estás obligado.

El sacerdote debe ser adornado de todas virtudes y ha de dar a los otros ejemplo de buena vida; su conversación no ha de ser con los comunes ejercicios de los hombres, mas con los ángeles en el cielo y con los perfectos en la tierra. El sacerdote vestido de las sagradas vestiduras tiene lugar de Cristo para rogar humilde y devotamente a Dios por sí y por todo el pueblo.

Él tiene la señal de la cruz de Cristo ante sí y detrás de sí, para que de continuo tenga memoria de su pasión. Ante sí, en la casulla, trae la cruz, porque mire con cuidado las pisadas de Cristo y estudie de seguirlo con fervor. Detrás también está señalado de la cruz, porque sufra con paciencia por amor de Dios cualquier adversidad o daño que otros le hicieren. La cruz lleva delante porque llore sus pecados, y detrás la lleva porque llore por compasión los ajenos y sepa que es medianero entre Dios y el pecador, y no cese de orar y de ofrecer el santo sacrificio hasta que merezca alcanzar gracia y misericordia.

Cuando el sacerdote celebra, honra a Dios y alegra a los ángeles, edifica a la Iglesia, ayuda a los vivos y da reposo a los difuntos y hácese particioneo de todos los bienes.

CAPÍTULO VI

La examinación que se debe hacer antes de la comunión

Señor, cuando yo pienso tu dignidad y mi vileza, tengo gran temblor y hállome confuso; porque si no me llego, huya la vida; y si indignamente me atrevo, caigo en ofensa. Pues ¿qué haré, Dios mío, ayudador mío, consejero mío en las necesidades?

Guíame tú por carrera derecha y enséñame algún ejercicio convenible a la sagrada comunión.

Por cierto, utilísimo es saber de qué manera deba yo aparejar mi corazón con reverencia y devoción a ti, Señor, para recibir saludablemente tu sacramento, o para celebrar tan grande y divino sacrificio.

CAPÍTULO VII

De la examinación de la conciencia y del propósito de la enmienda

Sobre todas las cosas es necesario que el sacerdote de Dios llegue a celebrar, y tratar, y recibir este sacramento con grande humildad de corazón y con devota reverencia, con entera fe y con piadosa intención de la honra de Dios.

Examina tu conciencia con diligencia y, según tu poder, descúbrela y aclárala con verdadera contrición y humilde confesión de tus pecados, de manera que no te quede cosa grave, o te remuerda e impida de llegar libremente al sacramento. Ten aborrecimiento de todos tus pecados en general, y por los delitos que cada día cometes, duélete y gime más particularmente. Y si hay disposición, confiesa a Dios todas tus miserias en lo secreto de tu corazón.

Gime y duélete que aún eres tan carnal y mundano, tan vivo en las pasiones, tan lleno de movimientos de concupiscencias, tan mal guardado en los sentidos exteriores, tan revuelto en vanas fantasías, tan inclinado a las cosas exteriores y negligente a las interiores, tan ligero a la risa y al desorden, tan duro para llorar y arrepentirte, tan aparejado a flojedades y regalos de la carne, tan perezoso al rigor y al fervor, tan curioso a oír nuevas y a ver cosas hermosas, tan remiso en abrazar las cosas bajas y despreciadas, tan codicioso en tener muchas cosas, tan encogido en dar y avariento en retener, indiscreto en hablar, mal sufrido en callar, descompuesto en las costumbres, importuno en las obras, tan desordenado en el comer, tan sordo a la palabra de Dios, presto para holgar, tardío para trabajar, despierto para consejuelas, tan dormilón para las sagradas vigilias, muy apresurado para acabarlas, muy derramado, sin atención y negligente en decir las horas, muy tibio en celebrar, seco y sin lágrimas en comulgar, muy presto distraído, muy tarde o nunca bien recogido, muy de presto conmovido a ira, aparejado para dar enojos, muy presto para juzgar, riguroso a reprender, muy alegre en lo próspero y muy caído en lo adverso, proponiendo de continuo grandes cosas y nunca poniéndolas en efecto.

Confesados y llorados estos y otros defectos tuyos con dolor y descontento de tu propia flaqueza, propón firmísimamente de enmendar tu vida y mejorarla de continuo. Y después, con total renunciación y entera voluntad, ofrecerte a ti mismo en honra de mi nombre en el altar de tu corazón como sacrificio perpetuo, que es encomendándome a mí tu cuerpo y tu ánima fielmente, porque merezcas dignamente llegar a ofrecer el sacrificio y recibir saludablemente el sacramento de mi cuerpo: que no hay ofrenda más digna ni mayor sacrificio para quitar los pecados que en la misa y en la comunión ofrecerse a sí mismo pura y enteramente en el sacrificio del cuerpo de Cristo.

Si el hombre hiciere lo que es en su mano, y se arrepintiere verdaderamente, cuantas veces viniere a mí por perdón y gracia, dice el Señor, *vivo yo, que no quiero la muerte del pecador, mas que se convierta y viva*, porque no me acordaré más de sus pecados, mas todos le serán perdonados.

CAPÍTULO VIII

Del ofrecimiento de Cristo en la cruz, y de la propia renunciación

Así como yo me ofrecía mí mismo por tus pecados a Dios Padre, de mi voluntad, extendidas las manos en la cruz, desnudo el cuerpo, en tanto que no me quedaba cosa que todo no pasase en sacrificio para aplacar al Padre, así debes tú, cuanto más entrañablemente puedas ofrecerte a ti mismo de toda voluntad a mí en sacrificio puro y santo cada día en la misa con todas tus fuerzas y deseos.

¿Qué otra cosa quiero de ti, sino que estudies de renunciarte del todo en mí? Cualquiera cosa que me das sin ti, no me curo de ello, porque no quiero tu don, sino a ti.

Así como no te bastarían a ti todas las cosas sin mí, así no me puede agradar a mí cuanto me ofreces sin ti. Ofrécete a mí y date todo por mí y será muy acepto tu sacrificio. Ya ves cómo yo me ofrecí todo al Padre por ti, y también di todo mi cuerpo y sangre en manjar por ser todo tuyo y que tú quedases todo mío; mas si te estás en ti mismo y no te ofreces muy de gana a mi voluntad, no es cumplida ofrenda, ni será entre nosotros entera unión.

Por eso, ante todas tus obras, haz ofrecimiento voluntario de ti mismo en mis manos si quieres alcanzar libertad y gracia. Por eso hay tan pocos alumbrados y libres de dentro, porque no saben negarse del todo a sí mismos.

Ésta es mi firme sentencia, *que no puede ser mi discípulo el que no renunciare todas las cosas*. Por eso, si tú deseas ser mi discípulo, ofrécete a ti mismo con todos tus deseos.

CAPÍTULO IX

Que debemos ofrecernos a Dios con todas nuestras cosas y rogarle por todos

Señor, tuyo es todo lo que está en el cielo y en la tierra, y yo deseo ofrecerme a ti de mi voluntad y quedar tuyo para siempre. Señor, con sencillo corazón me ofrezco hoy a ti por siervo perpetuo en servicio y sacrificio de perpetuo loor. Recíbeme con este santo sacrificio de tu preciosísimo cuerpo que te ofrezco hoy en presencia de los ángeles que están presentes invisiblemente. Y ruégote, Señor, que sea para salud mía y de todo el pueblo.

Señor, ofrézcote todos mis pecados y delitos, cuantos yo cometí delante de ti y de tus ángeles desde el día que comencé a pecar hasta hoy; todos los pongo sobre tu altar, que amansa tu ira, para que tú, Señor, los enciendas todos juntamente, y los quemes con el fuego de tu caridad, y quites todas las mancillas de mis pecados, y alimpies mi conciencia de todo pecado, y me restituyas la gracia que yo perdí pecando, perdonándome plenariamente y levantándome por tu bondad al beso santo de la paz.

¿Qué puedo hacer por mis pecados, sino confesarlos humildemente, llorando y rogando a tu misericordia sin cesar? Ruégote que me oigas con misericordia aquí donde estoy delante de ti. Todos mis pecados me descontentan muy mucho, y no quiero más cometerlos; pésame de ellos, y cuanto yo viviere me pesará, aparejado a hacer penitencia y satisfacción con todo mi poder. ¡Oh Dios!, perdona, perdona mis pecados por tu santo nombre, salva mi ánima que redimiste por tu sangre preciosa. Vesme aquí, Señor, yo me pongo en tu misericordia, yo me renuncio en tus manos: haz conmigo según tu bondad y no según mi malicia.

También te ofrezco, Señor, todos mis bienes, aunque son muy pocos e imperfectos, para que tú los enmiendes y santifiques, y los hagas agradables a ti y aceptes, y traigas siempre a perfección, y a mí, hombrecillo inútil y perezoso, lleves a bienaventurado y loable fin.

Y también te ofrezco todos los santos deseos de los devotos y todas las necesidades de mis padres y hermanos, amigos y parientes, y de todos mis conocidos, y de todos cuantos han hecho bien a mí y a otros por tu amor, y de todos los que desearon y pidieron que yo orase, o dijese misa por ellos y por todos los suyos, vivos o difuntos, porque todos sientan el favor de tu gracia y de tu consolación y defensión; y, librados de todo mal, sean muy alegres y te den por todo altísimas gracias.

También te ofrezco estas oraciones y sacrificios agradables, especialmente por los que en algo me han dañado, enojado, o vituperado, y por todos los que yo alguna vez enojé, turbé, agravié y escandalicé por obra, o de palabra, por ignorancia, o a sabiendas.

Porque tú, Señor, nos perdones a todos juntamente nuestros pecados y las ofensas que hacemos unos a otros. Aparta, Señor, de nuestros corazones toda sospecha, todo deseo de venganza, ira y contienda, y toda cosa que pueda estorbar la caridad y disminuir el amor del prójimo.

Señor, ten misericordia y piedad de los que te la demandan. Da tu gracia a los necesitados, y haz que seamos tales que seamos dignos de gozar de tu gracia y que aprovechemos para la vida eterna.

CAPÍTULO X

Que no se debe dejar ligeramente la sagrada comunión

Muy a menudo debes recurrir a la fuente de la gracia y de la divina misericordia, a la fuente de la bondad y de toda limpieza; porque puede ser curado de tus pasiones y vicios, y merezcas ser hecho más fuerte y más despierto contra todas las tentaciones y engaños del diablo.

El enemigo, sabiendo el grandísimo fruto y remedio que está en la sagrada comunión, trabaja por todas las vías que él puede de estorbarla a los fieles y devotos cristianos; porque luego que algunos se disponen a la sagrada comunión, padecen peores tentaciones de Satanás, que antes; porque el espíritu maligno (según se escribe en Job) viene entre los hijos de Dios para turbarlos con su acostumbrada malicia, o para hacerlos muy temerosos y dudosos, porque así disminuya su afecto, o acosándolos les quita la confianza, para que, de esta manera, o dejen del todo la comunión, o lleguen a ella tibios y sin fervor.

Mas no debemos curar de sus astucias y fantasías, por más torpes y espantosas que sean; mas quebrarlas todas en su cabeza y procurar de despreciar al desventurado y burlar de él; no se debe dejar la sagrada comunión por todas las malicias y turbaciones que levantare.

Muchas veces también estorba para alcanzar devoción la demasiada ansia de tenerla y la gran congoja de confesarse. Por eso haz en esto lo que aconsejan los sabios, y deja el ansia y escrúpulo, porque estas cosas impiden la gracia de Dios y destruyen la devoción del ánima.

No dejes la sagrada comunión por alguna pequeña tribulación o pesadumbre, mas confiésate luego y perdona de buena voluntad las ofensas que te han hecho; y si tú has ofendido a alguno, pídele perdón con humildad, y así Dios te perdonará.

¿Qué aprovecha dilatar mucho la confesión o la sagrada comunión? Alímpiate en el principio, escupe presto la ponzoña, toma de presto el remedio y hallarte has mejor que si mucho tiempo dilatares.

Si hoy lo dejas por alguna ocasión, mañana te puede acaecer otra mayor, y así te estorbarás mucho tiempo y estarás más inhábil. Por eso, lo más presto que pudieres sacude la pereza y pesadumbre: que no hace al caso estar largo tiempo con cuidado envuelto en turbaciones y, por los estorbos cotidianos, apartarse de las cosas divinas.

Antes daña mucho dilatar la comunión largo tiempo: porque es causa de estarse el hombre ocupado en grave torpeza. ¡Ay dolor de algunos tibios y desordenados, que dilatan muy de grado la confesión y desean alargar la sagrada comunión por no ser obligados a guardarse con mayor cuidado! ¡Oh cuán poca caridad, oh cuán flaca devoción tienen los que tan fácilmente dejan la sagrada comunión!

¡Cuán bienaventurado es y cuán agradable a Dios el que vive tan bien, y con tanta puridad guarda su conciencia, que cada día está aparejado a comulgar, deseoso de hacerlo si así le conviniese y no fuese notado! Si alguno se abstiene algunas veces por humildad, o por alguna causa legítima, de loar es por la reverencia; mas si poco a poco le entrare la tibieza, debe despertarse y hacer lo que en sí es, y nuestro Señor ayudará a su deseo por la buena voluntad, la cual él mira especialmente.

Mas cuando fuere legítimamente impedido, tenga siempre buena voluntad y devota intención de comulgar, y así no carecerá del fruto del sacramento. Porque todo hombre devoto puede comulgar cada día y cada hora espiritualmente; mas en ciertos días, en el tiempo ordenado, debe recibir el sacramento del cuerpo de nuestro Señor Jesucristo con amorosa reverencia.

Y más se debe mover a ello por loor y honra de Dios que por buscar su propia consolación. Porque tantas veces comulga secretamente y es recreado invisiblemente cuantas se acuerda devotamente del misterio de la encarnación de nuestro Señor Jesucristo y de su preciosísima pasión, y se enciende en su amor. Mas el que no se apareja en otro tiempo sino para la fiesta, o cuando lo fuerza la costumbre, muchas veces se hallará mal aparejado.

Bienaventurado el que se ofrece a Dios en entero sacrificio cuantas veces celebra o comulga. No seas muy prolijo ni acelerado en celebrar, mas guarda una buena manera y confórmate con los de tu conversación; no los enojes, mas sigue la vida común según la orden de los mayores; y más debes mirar el aprovechamiento de los otros que tu propia devoción y deseo.

CAPÍTULO XI

Que el cuerpo de Jesucristo y la Sagrada Escritura son muy necesarios al ánima fiel

¡Oh dulcísimo Jesús, cuánta es la dulzura del ánima devota que come contigo en tu convite, en el cual no se da a comer otra cosa sino a ti, que eres único y solo amado suyo, muy deseado sobre todos los deseos de su corazón! ¡Oh cuán dulce sería a mí en tu presencia, con todas mis entrañas, derramar lágrimas y regar con ellas tus sagrados pies como la piadosa Magdalena!

Mas ¿dónde está ahora esta devoción? ¿Dónde está el copioso derramamiento de lágrimas santas?

Por cierto, Señor, en tu presencia y de tus santos ángeles todo mi corazón se debía encender y llorar de gozo, porque en este sacramento yo te tengo presente verdaderamente, aunque encubierto debajo de otra especie, porque no podrían mis ojos sufrir de mirarte en tu propia y divina claridad, ni todo el mundo podría sufrir el resplandor de la gloria de tu majestad. Y así, en esconderte en el sacramento has tenido respeto a mi flaqueza. Yo tengo y adoro verdaderamente aquí a quien adoran los ángeles en el cielo; mas yo ahora en fe, y ellos en clara vista, sin velo. Conviéneme a mí acá contentarme con la lumbre de la fe verdadera y andar en ella hasta que amanezca el día de la claridad eterna y se vayan las sombras de las figuras.

Cuando viniere lo que es perfecto, cesará el uso de los sacramentos. Porque los bienaventurados en la gloria celestial no han menester medicina de sacramentos, pues gozan sin fin en la presencia divina, contemplando cara a cara su gloria y transformados de claridad en claridad en el abismo de la deidad, gustan el Verbo divino encarnado, que fue en el principio y permanece para siempre.

Acordándome de estas maravillas, cualquier placer, aunque sea espiritual, se me torna en grave enojo. Porque en tanto que no veo claramente a mi Señor Dios en su gloria, no estimo en nada cuanto en el mundo veo y oigo.

Tú, Dios mío, eres testigo que cosa alguna no me puede consolar, ni criatura alguna dar descanso sino tú, Dios mío, a quien deseo contemplar eternamente. Mas esto no se puede hacer en tanto que dura la carne mortal. Por eso conviéneme tener mucha paciencia y sujetarme a ti en todos mis deseos. Porque tus santos, que ahora gozan contigo en tu reino, cuando en este mundo vivían, esperaban en fe y grande paciencia la venida de tu gloria. Lo que ellos creyeron, creo yo; lo que esperaron, espero; y a donde llegaron finalmente por tu gracia, tengo yo confianza de llegar. En tanto, andaré en fe, confortado con los ejemplos de los santos.

También tengo santos libros, que son para consolación y espejo de la vida, y, sobre todo, el Cuerpo santísimo tuyo por singular remedio y refugio. Yo conozco que tengo grandísima necesidad en esta vida de dos cosas, sin las cuales no la podría sufrir, detenido en la cárcel de este cuerpo, que son mantenimiento y lumbre. Así que me diste como a enfermo tu sagrado Cuerpo para recreación del ánima y del cuerpo, y pusiste para guiar mis pasos una candela, que es tu palabra. Sin estas dos cosas yo no podría vivir bien, porque la palabra de tu boca luz es del ánima, y tu sacramento es pan de vida.

También éstas se pueden decir dos mesas puestas en el sagrario de la santa Iglesia de una parte y de otra. La una mesa es el santo altar, donde está el pan santo, que es el cuerpo preciosísimo de Cristo; la otra es de la ley divina, que contiene la sagrada doctrina, y enseña la recta fe, y nos lleva firmemente hasta lo secreto del velo, donde está el Santo de los santos. Gracias te hago, Señor Jesús, luz de la eterna luz, por la mesa de la santa doctrina que nos administraste por tus santos siervos los profetas y apóstoles y por los otros doctores.

Gracias te hago, Criador y Redentor de los hombres, que, para declarar a todo el mundo tu caridad, aparejaste tu gran cena, en la cual diste a comer, no el cordero figurativo, sino tu santísimo cuerpo y sangre, para alegrar todos los fieles con el sacro convite, embriagándolos con el cáliz de la salud, en el cual están todos los deleites del paraíso, y comen con nosotros los santos ángeles, aunque con mayor suavidad. ¡Oh cuán grande y venerable es el oficio de los sacerdotes, a los cuales es otorgado consagrar el Señor de la majestad con palabras santas, y bendecirlo con sus labios, y tenerlo en sus manos, y recibirlo con su propia boca, y ministrarlo a otros!

¡Oh cuán limpias deben estar aquellas manos, cuán pura la boca, cuán santo el cuerpo, cuán sin mancilla el corazón del sacerdote, donde tantas veces entra el hacedor de la pureza! De la boca del sacerdote no debe salir palabra que no sea santa, honesta y provechosa, pues tan de continuo recibe el sacramento de Cristo. Sus ojos han de ser simples y castos, pues miran el cuerpo de Cristo. Las manos han de ser puras y levantadas al cielo por oración, pues suelen tocar al Criador del cielo y de la tierra. A los sacerdotes especialmente se dice en la ley: *Sed santos, que yo, vuestro Señor y vuestro Dios, santo soy.*

¡Oh Dios todopoderoso!, ayúdenos tu gracia para que los que recibimos el oficio sacerdotal, podamos digna y devotamente servirte con buena conciencia en toda pureza. Y si no podemos conversar en tanta inocencia de vida como debemos, otórganos llorar dignamente los males que hemos hecho, porque podamos de aquí adelante servirte con mayor fervor en espíritu de humildad y propósito de buena voluntad.

CAPÍTULO XII

Que se debe aparejar con grandísima diligencia el que ha de recibir a Jesucristo

Yo soy amador de pureza y dador de toda santidad; yo busco el corazón puro, y allí es el lugar de mi descanso. Aparéjame un palacio grande, bien aderezado, y haré contigo la pascua con mis discípulos. Si quieres que venga a ti y me quede contigo, alimpia de ti la vieja levadura y limpia la morada de tu corazón. Alanza de ti todo el mundo y todo el ruido de los vicios. Asiéntate como pájaro solitario en el tejado, y piensa tus pecados en amargura de tu ánima. Cualquier persona que ama a otra, apareja buen lugar y muy aderezado para recibirla. Porque en esto se conoce el amor del que hospeda al amado.

Mas sábete que no puedes cumplir este aparejo con el mérito de tus obras, aunque un año entero te aparejases y no tratases otra cosa en tu ánima; mas por sola mi piedad y gracia se te permite llegar a mi mesa, como si un pobre fuese llamado a la mesa de un rico, y no tuviese otra cosa para pagar el beneficio sino, humillándose, agradecerlo.

Haz lo que es en ti y con mucha diligencia, no por manera de costumbre ni por necesidad; mas con temor, y reverencia y amor recibe el cuerpo del Señor Dios tuyo, que tienes por bien venir a ti. Yo soy el que te llamé, yo el que mandé que se hiciese así; yo supliré lo que te falta, ven y recíbeme. Cuando yo te doy gracia de devoción, da gracias a Dios, no porque eres digno, mas porque tuve misericordia de ti.

Y si no tienes devoción, y te sientes muy seco, continúa la oración, da gemidos, llama y no ceses hasta que merezcas recibir una migaja o una gota de saludable gracia. Tú me has menester a mí, que no yo a ti. Ni vienes tú a santificarme a mí, mas yo a santificarte y mejorarte. Tú vienes para que seas por mí santificado y unido conmigo, para que recibas nueva gracia y de nuevo te enciendas para mayor perfección. No desprecies esta gracia, apareja de continuo con toda diligencia tu corazón, y recibe dentro de ti a tu amado.

Y también conviene que te aparejes a la devoción y sosiego no sólo antes de la comunión, mas que te conserves y guardes en ella después de recibido el santísimo sacramento. Ni se debe tener menos guarda después que el devoto aparejo primero. Porque la buena guarda de después es muy mejor aparejo para alcanzar otra vez mayor gracia. Que de aquí viene a hacerse el hombre muy indispuesto, por desordenarse y derramarse luego en los placeres exteriores.

Guárdate de hablar mucho, y recógete a algún lugar secreto, y goza de tu Dios, pues tienes al que todo el mundo no te puede quitar. Yo soy a quien del todo te debes dar, de manera que ya no vivas más en ti, sino en mí sin ningún cuidado.

CAPÍTULO XIII

Que el ánima devota con todo su corazón debe desear la unión de Cristo en el sacramento

Señor, ¿quién me dará que te halle dolo, y te abra todo mi corazón, y te goce como mi ánima desea, y que ya ninguno me desprecie, ni criatura alguna me mueva, mas tú solo me hables, y yo a ti, como suele hablar el amado a su amado y conversar un amigo con otro? Esto ruego y esto deseo, que sea unido todo a ti, y aparte ya mi corazón de todo lo criado, y por la sagrada comunión y por la frecuencia del celebrar aprenda a gustar cosas eternas. ¡Oh Señor, Dios mío!, ¿cuándo estaré todo unido contigo, y absorto en ti, y del todo olvidado de mí, y que tú seas en mí, y yo, Señor, en ti, y que así estemos juntos en uno?

Verdaderamente tú eres mi amado, escogido en muchos millares, con el cual desea morar mi ánima todos los días de su vida. Verdaderamente tú eres mi pacífico, en ti está la suma paz y la verdadera holganza; fuera de ti todo es trabajo, y dolor, y miseria infinita. Verdaderamente tú eres Dios escondido, y tu consejo no es con los malos, mas con los humildes y sencillos es tu habla.

¡Oh Señor, cuán suave es tu espíritu, que tienes por bien para mostrar tu dulzura de mantener tus hijos del pan suavísimo que desciende del cielo! Verdaderamente no hay otra nación tan grande que tenga sus dioses tan cerca de sí como tú, Dios nuestro, estás cerca de todos sus fieles, a los que te das para que te coman, y gocen con gozo continuo, y para que levanten su corazón al cielo.

¿Qué gente hay alguna tan nobilísima como el pueblo cristiano, o qué criatura hay debajo del cielo tan amada como el ánima devota, a la cual entra Dios a apacentar de su gloriosa carne?

¡Oh inexplicable gracia, oh maravillosa bondad, oh amor sin medida, dado singularmente al hombre!

¿Qué daré yo al Señor por esta gracia y caridad tan grande? No hay cosa que más agradable le pueda yo dar que es mi corazón todo entero, para que sea a él ayuntado entrañablemente. Entonces alegrarán todas mis entrañas, cuando mi ánima fuere unida perfectamente a Dios. Entonces me dirá Él: Si tú quieres estar conmigo, yo quiero estar contigo. Y yo le responderé: Señor, ten por bien de quedarte conmigo, que yo de buena voluntad quiero estar contigo. Éste es todo mi deseo, que mi corazón esté unido contigo.

CAPÍTULO XIV

Del encendido deseo de algunos devotos a la comunión del cuerpo de Cristo

¡Oh Señor cuán grande es la multitud de tu dulzura, que tienes escondida para los que te temen!
Cuando me acuerdo de algunos devotos a tu sacramento que llegan a él con gran devoción y afecto, quedo muy confuso y avergonzado en mí, que llego tan tibio y tan frío a tu altar y a la mesa de la sagrada comunión, y me hallo tan seco y sin dulzura de corazón, y que no estoy enteramente encendido ante ti, Dios mío, ni soy llevado ni aficionado del vivo amor como fueron muchos devotos, los cuales, del gran deseo de la comunión y del amor que sentían en el corazón, no pudieron detener las lágrimas, mas con la boca del corazón y del cuerpo suspiraban con todas sus entrañas a ti, Dios mío, fuente viva, no pudiendo templar ni hartar su hambre de otra manera sino recibiendo tu cuerpo con toda alegría y deseo espiritual.

¡Oh verdadera y ardiente fe la de aquéstos, la cual es manifiesta prueba de tu sagrada presencia! Porque éstos verdaderamente conocen a su Señor en el partir del pan, pues su corazón arde en ellos tan vivamente, porque Jesús anda con ellos.

¡Oh cuán lejos está de mí muchas veces tal afección y devoción y tan grande amor y fervor! Séme piadoso, buen Jesús, dulce y benigno.

Otorga a este tu pobre mendigo (siquiera alguna vez) sentir en la sagrada comunión un poco de afección entrañable de tu amor, porque mi fe se haga más fuerte, y la esperanza en tu bondad crezca, y la caridad ya encendida perfectamente con la experiencia del maná celestial nunca desmaye ni cese.

Por cierto, Señor, poderosa es tu misericordia para concederme esta gracia tan deseada y visitarme muy piadosamente en espíritu de abrasado amor, cuando tú, Señor, tuvieres por bien de hacerme esta merced. Y aunque yo no estoy con tan encendido deseo como tus especiales devotos, no dejo yo (mediante tu gracia) de desear tener aquellos sus grandes y encendidos deseos, rogando a tu Majestad me haga particionero de todos los fervientes amadores tuyos y me cuente en su santa compañía.

CAPÍTULO XV

Que la gracia de la devoción, con la humildad y propia renunciación se alcanza

Conviénete buscar con diligencia la gracia de la devoción, pedirla sin cesar, esperarla con paciencia y buena confianza, recibirla con alegría, guardarla humildemente, obrar diligentemente con ella y encomendar a Dios el tiempo y la manera de la soberana visitación hasta que venga. Débeste humillar, especialmente cuando poca o ninguna devoción sientes de dentro; mas no te caigas del todo, ni te entristezcas demasiadamente.

Dios da muchas veces en un momento lo que negó en largo tiempo. También da algunas veces en el fin de la oración lo que al comienzo dilató de dar.

Si la gracia de continuo nos fuese otorgada y dada siempre a nuestro querer, no la podría bien sufrir el hombre flaco. Por eso en buena esperanza y humilde paciencia se debe esperar la gracia de la devoción. Y cuando no te es otorgada, o te fuere quitada secretamente, echa la culpa a ti y a tus pecados.

Algunas veces pequeña cosa es la que impide a la gracia y la esconde, si poco se debe decir y no mucho lo que tanto bien estorba. Mas si perfectamente vencieres lo que estorba, sea poco o sea mucho, tendrás lo que pediste.

Luego que te dieres a Dios de todo tu corazón, y no buscares esto ni aquello por tu querer, mas del todo te pusieres en Él, hallarte has unido y sosegado; porque no habrá cosa que tan bien te sepa como el buen contentamiento de la divina bondad.

Pues cualquiera que levantare su intención a Dios con sencillo corazón y se despojare de todo amor o desamor desordenado de cualquiera cosa criada, estará muy dispuesto y digno a recibir la divina gracia y el don de la devoción. Porque nuestro Señor da su bendición donde halla vasos vacíos. Y cuanto más perfectamente alguno renunciare las cosas bajas y fuere más muerto a sí mismo por el propio desprecio, tanto más presto viene la gracia, y más copiosamente entra, y más alto levanta al corazón libre.

Y entonces verá, y abundará, y maravillarse ha, y ensancharse ha su corazón en sí mismo, porque la mano del Señor es con él, y él se puso del todo en su mano para siempre. De esta manera será bendito el hombre que busca a Dios en todo su corazón y no ha recibido su ánima en vano. Éste, cuando recibe la sagrada comunión, merece la singular gracia de la divina unión, porque no mira a su propia devoción y consolación, mas a la gloria y honra de Dios.

CAPÍTULO XVI

Que debemos manifestar a Cristo nuestras necesidades y pedirle su gracia

¡Oh dulcísimo y muy amado Señor, a quien yo deseo ahora recibir devotamente, tú sabes mi enfermedad, y la necesidad que padezco, y en cuántos males y vicios estoy caído, cuántas veces soy agraviado, tentado, turbado, y ensuciado! A ti vengo por remedio, a ti demando consolación y alivio. A ti, Señor, que sabes todas las cosas, hablo, a quien son manifiestos todos los secretos de mi corazón, y que solo me puedes consolar y perfectamente ayudar. Tú sabes mejor que ninguno lo que me falta, cuán pobre soy en virtudes; vesme aquí delante de ti, pobre y desnudo, demandando gracia y pidiendo misericordia.

Harta, Señor, a este tu hambriento mendigo, enciende mi frialdad con el fuego de tu amor, alumbra mi ceguedad con la claridad de tu presencia, vuélveme todo lo terreno en amargura, todo lo contrario y pesado en paciencia, todo lo criado en menosprecio y olvido. Levanta, Señor, mi corazón a ti en el cielo, y no me dejes vaguear por la tierra. Tú solo, Señor, desde ahora me seas dulce para siempre, que tú solo eres mi manjar, mi amor, mi gozo, mi dulzura y todo mi bien.

¡Oh si me encendieses del todo en tu presencia y me abrasases y trasmudases en ti, para que sea hecho un espíritu contigo por la gracia de la unión interior y por derretimiento de tu abrasado amor! No me consientas, Señor, partirme de ti ayuno y seco, mas obra conmigo piadosamente, como muchas veces lo has hecho maravillosamente con tus santos. ¡Qué maravilla si todo yo estuviese hecho fuego por ti y desfalleciese en mí, pues tú eres fuego que siempre arde y nunca cesa, amor que alimpia los corazones y alumbra los entendimientos!

CAPÍTULO XVII

Del abrasado amor y de la grande afección de recibir a Cristo

¡Oh Señor, con suma devoción, con abrasado amor, con todo mi afecto te deseo yo recibir; como muchos santos y devotas personas te desearon en la comunión, que te agradaron muy mucho en la santidad de su vida y tuvieron devoción ardentísima! ¡Oh Dios mío, amor eterno, todo mi bien, bienaventuranza que no se acaba!

Yo te deseo recibir con muy mayor deseo y muy más digna reverencia que ninguno de los santos jamás tuvo ni pudo sentir.

Y aunque yo sea indigno de tener todos aquellos sentimientos devotos, mas ofrézcote yo todo el amor de mi corazón muy graciosamente, como si todos aquellos inflamados deseos yo solo tuviese; y aun cuando puede el ánima piadosa concebir y desear, todo te lo doy y ofrezco con humildísima reverencia y con entrañable fervor.

No deseo guardar cosa para mí, sino sacrificarme a mí y a todas mis cosas a ti de muy buen corazón y voluntad. Señor Dios mío, Criador mío, Redentor mío, con tal afecto, reverencia, y loor y honor, con tal agradecimiento, dignidad y amor, con tal fe, esperanza y puridad te deseo recibir hoy, como te recibió y deseó tu santísima Madre la gloriosa Virgen María, cuando el ángel que le dijo el misterio de la Encarnación, con humilde devoción respondió: *He aquí la sierva del Señor, hágase en mí según tu palabra.* Y como el bendito mensajero tuyo, excelentísimo entre todos los santos, Juan Bautista en tu presencia lleno de alegría se gozó con gozo de Espíritu Santo, estando aun en las entrañas de su madre. Y después, mirándote cuando andabas entre los hombres, con mucha humildad y devoción decía: *El amigo del esposo que está con él y lo oye, alégrase con gozo por la voz del esposo.*

Pues así, Señor, yo deseo ser inflamado de grandes y sacros deseos, y presentarme a ti de todo corazón.

Por eso, Señor, yo te doy y ofrezco a ti los excesivos gozos de todos los devotos corazones, las vivísimas afecciones, los excesos mentales, las soberanas iluminaciones, las celestiales visiones, con todas las virtudes y loores celebradas y que se pueden celebrar por toda criatura en el cielo y en la tierra, por mí y por todos mis encomendados, para que seas por todos dignamente loado y para siempre glorificado. Señor Dios mío, recibe mis votos y deseos de darte infinito loor y cumplida bendición, los cuales justísimamente te son debidos según la multitud de tu inefable grandeza.

Esto te ofrezco hoy y te deseo ofrecer cada día y cada momento, y convido y ruego con todo mi afecto a todos los espíritus celestiales y a todos tus fieles que te alaben y te den gracias juntamente conmigo.

Alábente, Señor, todos los pueblos, y las generaciones, y lenguas, magnifiquen tu dulcísimo y santo nombre con grande alegría e inflamada devoción. Merezcan, Señor, hallar gracia y misericordia cerca de ti todos los que devotamente celebran tu santísimo sacramento y con entera fe lo reciben; y cuando hubieren gozado de la devoción y unión deseada, y fueren maravillosamente consolados y recreados, y se partieren de la mesa celestial, yo les ruego que se acuerden de mí, pobre pecador.

CAPÍTULO XVIII

Que no sea el hombre curioso escudriñador del sacramento, sino humilde imitador de Cristo, humillando su sentido a la sagrada fe

Mira que te guardes mucho del escudriñar inútil y curiosamente este profundísimo sacramento, si no quieres ser sumido en el abismo de las dudas.

El que es escudriñador de la Majestad, será ofuscado y confundido de la gloria. Más puede obrar Dios que el hombre entender; pero permitida es la piadosa y humilde pesquisa de la verdad, que está siempre aparejada a ser enseñada y estudia de andar pos las sanas sentencias de los Padres.

Bienaventurada la simpleza que deja las cuestiones dificultosas y va por el camino llano y firme de los mandamientos de Dios. Muchos perdieron la devoción queriendo escudriñar cosas altas. Fe te demandan y buena vida, no alteza de entendimiento ni profundidad de los misterios de Dios. Si no entiendes ni alcanzas las cosas que están debajo de ti, ¿cómo entenderás lo que está sobre ti? Sujétate a Dios y humilla tu seso a la fe, y darte han lumbre de ciencia, según te fuere útil y necesario.

Algunos son gravemente tentados de la fe en el sacramento, y esto no se ha de imputar a ellos, sino al enemigo. No te cures ni disputes con tus pensamientos, ni respondas a las dudas que el diablo te pone. Cree a la palabra de Dios, cree a sus santos profetas, y huirá de ti el enemigo.

Muchas veces aprovecha al siervo de Dios que sufra estas cosas; porque el demonio no tienta a los infieles y pecadores, porque ya los posee seguramente, mas tienta y atormenta en diversas maneras a los fieles y devotos.

Pues anda con sencilla y cierta fe, y llega al sacramento con humilde reverencia, y lo que no puedes entender, encomiéndalo seguramente a Dios todopoderoso.

Dios no te engaña. El que se cree a sí mismo demasiadamente, es engañado. Dios con los sencillos anda, y se descubre a los humildes, y da entendimiento a los pequeños; abre el sentido a los puros pensamientos y esconde la gracia a los curiosos y soberbios.

La razón humana flaca es, y engañarse puede; mas la fe verdadera no puede ser engañada.

Toda razón natural debe seguir a la fe, y no ir delante de ella ni quebrarla. Porque la fe y el amor aquí muestran mucho su excelencia, y obran secretamente en este santísimo y excelentísimo sacramento.

Dios eterno e inmenso y de potencia infinita hace grandes cosas que no se pueden escudriñar en el cielo y en la tierra, y no hay que pesquisar de sus maravillosas obras. Si tales fuesen las obras de Dios que fácilmente por humana razón se pudiesen entender, no se dirían maravillosas ni inefables.